GAIA
Uma teoria do conhecimento

Organizado por William Irwin Thompson

GAIA
Uma teoria do conhecimento

Gaia – Uma Teoria do Conhecimento é originalmente uma publicação do Programa de Estudos sobre Biologia, Cognição e Ética da Lindsfarne, Catedral de St. John The Divine, New York, financiada pela Reinity Church, New York e The Prince Charitable Trusts, Chicago.

Título original em língua inglesa: *Gaia: A Way of Knowing*
ISBN 0-89281-080-7 (PBK)

@ 1987 The Lindisfarne Association, Inc,

4ª Edição, Editora Gaia, São Paulo 2014

Diretor Editorial
Jefferson L. Alves

Diretor de Marketing
Richard A. Alves

Gerente de Produção
Flávio Samuel

Consultoria Técnica
Dinah Oliveira Santos

Tradução
Silvio Cerqueira Leite

Supervisão Gráfica
Nadia Basso

Diagramação e Revisão (coord.)
Fernando de Benedetto Gião

Revisão
Edson O. Rodrigues/Alexandra Resende/Anita Deak

Capa
Ana Dobón

Cip-brasil. Catalogação na publicação
Sindicato nacional dos editores de livros, RJ

G131

GAIA — Uma Teoria do Conhecimento / William Irwin Thompson ; tradução Silvio Cerqueira Leite. — [4. ed.]. — São Paulo : Gaia, 2014.

Tradução de: Gaia: a way of knowing
ISBN 978-85-7555-416-6

1. Conhecimento pessoal. I. Thompson, William Irwin, 1938-. II. Leite, Silvio Cerqueira. II. Título.

14-09005

CDD: 813
CDU: 821.111(73)-3

Direitos Reservados
Editora Gaia ltda.
(pertence ao grupo Global Editora e Distribuidora Ltda.)
Rua Pirapitingui, 111-A – Liberdade
CEP 01508-020 – São Paulo – SP
Tel.: (11) 3277-7999 – Fax: (11) 3277-8141
e-mail: gaia@editoragaia.com.br
www.editoragaia.com.br

Obra atualizada conforme o **Novo Acordo Ortográfico da Língua Portuguesa**

Colabore com a produção científica e cultural.
Proibida a reprodução total ou parcial desta obra sem a autorização do editor.

Nº de Catálogo: **1878**

SUMÁRIO

PREFÁCIO
por William Irwin Thompson   7

APRESENTAÇÃO   11

INTRODUÇÃO
As implicações culturais da nova biologia
William Irwin Thompson   13

PARTE I
A Biologia e uma Teoria do Conhecimento

1   Os homens são como a planta
    A metáfora e o *universo* do *processo mental*
    Gregory Bateson   37

2   O caminhar faz a trilha   47
    Francisco Varela

3   O que se observa depende do observador
    Humberto Maturana   63

4   Gaia – Um modelo para a dinâmica
     planetária e celular
     James Lovelock   79

5   Os primórdios da vida
     Os *micróbios têm prioridade*
     Lynn Margulis   93

6   As finalidades inconscientes
     Henri Atlan   105

**PARTE II
A Visão Política de Gaia**

7   Uma categoria econômica baseada
     na ecologia
     John Todd   125

8   Um guia para dominar o tigre da
     nossa era
     As três zonas de transição
     Hazel Henderson   139

9   Gaia e a política da vida
     William Irwin Thompson   161

PREFÁCIO

As ideias, da mesma forma que as uvas, crescem em cachos. As pessoas gostam de se agregar pelo simples fato de sentir que, na videira, suas ideias se tornam mais completas e mais enriquecidas. Este livro é exatamente um cacho, um punhado de ideias, originado de um pequeno grupo de pessoas que se reuniu, periodicamente, durante seis anos. Ele é, acima de tudo, o trabalho de uma comunidade intelectual que reflete as ideias, reuniões, discussões, cartas e comunicações telefônicas acontecidas a partir do momento em que cada um de seus membros reconheceu que o seu trabalho estava sendo descrito e desenvolvido não mais individualmente, mas por outros colegas.

Os autores deste livro se reuniram como um grupo pela primeira vez em 1981, por ocasião de meu convite para um dos encontros da Lindisfarne Fellows – os quais venho pro movendo há doze anos, aproximadamente. Aquele foi um bom encontro, não necessariamente melhor do que todos os outros, porém mais eficiente porque absorveu o meu trabalho pessoal, e começou a derivar o fluxo de minhas ideias sobre antropologia e pré-história para a biologia. Quando li a obra de Lovelock, *Gaia: a New Look at Life on Earth* (*Gaia: Uma Nova Visão da Vida na Terra*), assisti ao filme de Lynn Margulis sobre bactérias e minhas ideias da relação entre o mito e a ciência avançavam, pois comecei a perceber o que exatamente queriam os meus ancestrais irlandeses quando falavam "os pequeninos seres" em atividade naqueles fungos a seus pés. Lynn falava das bactérias localizadas nos depósitos de minério de ferro, nas formações rochosas de Ontário, e eu via duendes em atividades nas minas.

A imaginação é necessária para dar forma a uma teoria ou a uma hipótese. Há muito tempo, Whitehead argumentava que a razão pura não poderia jamais elaborar uma visão científica do mundo. Um simples amontoado de fatos era ineficaz, e nem uma epopeia de Homero nem uma teoria científica da evolução poderiam ser produzidas a partir de meros fatos. Para as pessoas em uma cultura pré-científica, dotadas de uma aguda capacidade de observação e de apreciável sensibilidade, não havia outra forma de referir-se a qualquer tipo de vida a seus pés, a não ser através da imaginação poética que tornava quase humanas minúsculas criaturas. E, de certa forma, esta imaginação poética dos antigos é mais sensível ao envolvimento da espécie humana na biosfera. De fato, quando considerava esses "pequeninos seres" quase humanos, a antiga crença irlandesa reconhecia que não existe "nós" ou "eles", e sim que nós estamos neles e eles em nós.

A imaginação é, portanto, não uma fonte de engano ou de ilusão, mas uma capacidade de sentir aquilo que você ainda não conhece, de intuir o que não pode ser compreendido, de *ser* mais do que é possível *conhecer*. A capacidade de imaginação de nossa mente não é a resultante epifenomenal de processos mais depurados de uma lógica de computação, como os defensores da "inteligência artificial" gostariam que acreditássemos. Não, a imagem é o resultado da consciência de outras dimensões de sensibilidade. A canção que você ainda não ouviu e que pode começar a assobiar. A bactéria que você não viu e que pode vislumbrar em sua mente.

A capacidade de pensar por meio de imagens e depois transformá-las em outras dimensões de referência é vital para a arte, a poesia e a ciência. Em um elevado pico dos Andes, a imaginação de Darwin incendiou-se quando ele tomou consciência de como "estamos todos interligados". Ardendo numa febre tropical, Alfred Russel Wallace divisou os contornos da teoria da seleção natural. Seja nos sonhos de filosofia de Descartes ou no sonho de Kekulé, visualizando a cadeia de benzeno, a imagem não é uma forma de pensamento imprecisa e pré-científica. Os fatos podem tornar-se ídolos da superstição, utilizados por algum poder discricionário no intuito de extinguir uma cultura tradicional. Na arte de Feng-Shui, se alguém fala de dragões no Céu ou na Terra estará sendo muito mais científico do que o químico moderno, em atividade na agricultura, que destrói o solo e danifica os lençóis d'água. Uma imagem não é uma ilusão; é um hieróglifo, uma história condensada. E as histórias são, literalmente, formas de preservação da cultura. Não se deve dizer que a imaginação e a poesia sejam apenas a matéria-prima para contos de fadas, e que os fatos sejam a substância genuína da "ciência rígida". Na verdade, os fatos concretos é que são demasiadamente simples, ao passo que o produto da imaginação é de uma complexidade fascinante. Uma imagem assemelha-se mais a um tema histórico em *fuga,* repleto de referências a antigas melodias, as quais transforma em novas variações. E, da mesma forma que alguém pode sentir-se transportado pela *Art of the Fugue* de Bach, sem mesmo compreender o uso que ele fez da *Ars Combinatoria* de Leibniz, é possível sentir-se enlevado por uma lenda ou um conto de fadas, antes mesmo de qualquer apreciação intelectual da narrativa. Exatamente porque nós somos mais do que conhecemos, a ciência jamais poderá abranger a totalidade do Ser. No limite do nosso conhecimento há um horizonte, um lugar onde as nuvens movem-se do céu em direção à ilha que habitamos. Este processo, no qual uma vasta atmosfera planetária se condensa na forma limitada de uma nuvem, é também aquele em que uma enorme massa global de conhecimento se torna uma imagem distinta em nossa limitada personalidade – o ego. Nesta metáfora de atmosfera e nuvem, situa-se a representação imaginária da própria filosofia que estou procurando expor.

Representação é a palavra exata, pois o que estou oferecendo neste livro não é apenas a exposição de algumas teorias científicas, mas uma revelação na qual o *observador científico* altera a ciência do cientista. O autor literário, o poeta, torna-se possuído pela ciência e propicia ao cientista uma visão refletida do seu trabalho. E, nessa imagem, o cientista vê transformadas as suas ideias. Por sobre os ombros, num espelho, ele se vê envolvido por um cenário cultural que não havia notado antes. Ele descortina as estruturas míticas da imaginação e descobre que a ciência e as artes estão se movendo em direção a um mundo pós-modernista, no qual as coisas não serão mais como antes. Não é o caso de um mundo facilmente divisível, com a delicada subjetividade de um lado e a crua objetividade de outro, com as letras e as artes aqui e a ciência ali; é um novo estágio da biologia, e uma nova teoria do conhecimento.

Antes de ser uma hipótese, Gaia foi uma divindade. Assim sendo, que área mais apropriada poderia existir para uma exploração de mito e ciência? Todavia, a hipótese Gaia por si só não seria suficiente para exprimir uma teoria do conhecimento ou uma política de vida. Com a química atmoférica de Lovelock, temos o macrocosmo; com a bacteriologia de Margulis temos o microcosmo. Mas entre o macrocosmo do planeta e o microcosmo da célula move-se o mesocosmo da mente. É aqui, na biologia cognitiva de Maturana e Varela, que o conhecimento se torna verdadeiramente a organização da vida que enseja o mundo.

William Irwin Thompson
Catedral de St. John, the Divine (São João, o Divino)
Cidade de New York
Fevereiro, 1987

APRESENTAÇÃO

O uso do vocábulo *Gaia* foi proposto pelo escritor William Golding ao Dr. James Lovelock, cientista inglês, em homenagem à Deusa da Mitologia Grega. Para Lovelock, no organismo de *Gaia,* nós, seres humanos, somos simples células de um de seus tecidos. O planeta é, na verdade, um gigantesco organismo que intencionalmente cria, mantém, altera e transforma o seu ambiente.

Enquanto isso, nós atacamos, violentamos e ensejamos a instalação de um novo caos, o que poderá nos levar a ser mais uma espécie tragada pela fúria de *Gaia*.

Mas, podemos reverter esta situação, e como assinala José Lutzemberger:

> "Se soubermos usar sabiamente nosso potencial intelectual, assim como a fabulosa tecnologia que daí surgiu, poderemos até mesmo, assumir o controle consciente de *Gaia*. Serramos, então, a sua massa cinzenta."

Discutir os caminhos para assumir o controle consciente de *Gaia* é o que nossa Editora vai apresentar ao leitor.

INTRODUÇÃO

WILLIAM IRWIN THOMPSON

AS IMPLICAÇÕES CULTURAIS DA NOVA BIOLOGIA

O objetivo dos Encontros da Lindisfarne, do meu ponto de vista como anfitrião e organizador, é exprimir a harmonia explícita e implícita que existe nos trabalhos daqueles que tomam parte nessas reuniões. Alguns de vocês estão se encontrando pela primeira vez e, na minha opinião, este tipo de encontro é um aspecto muito importante da atividade da Lindisfarne. Nas minhas viagens encontro pessoas que reconheço como colegas de trabalho no surgimento de uma nova cultura, e sinto que seria importante para eles encontrar alguém que, embora não conheçam pessoalmente, é na verdade um companheiro no mesmo tipo de trabalho. Esse tipo de associação tem se desenvolvido durante todos estes anos até se tornar um grupo não institucionalizado, conhecido pelo nome de Lindisfarne Fellows.

Esta reunião é na verdade uma confirmação desse clima de camaradagem intelectual e espiritual. Estamos reunidos aqui neste local onde, no ano passado, ouvimos a gravação da palestra que seria a despedida de Gregory Bateson. Tenho certeza de que Gregory gostaria muito de participar da reunião desta noite, pois aqui estão presentes várias pessoas que têm estado conosco desde os *Encontros Macy,* e que foram responsáveis pela abertura de novos caminhos na cibernética, epistemologia e biologia de sistemas auto-organizáveis.

Para homenagearmos, de fato, o trabalho que Bateson começou nos anos trinta, devemos não somente honrar sua memória, mas continuar a avançar em direção a uma ecologia da mente. A meu ver, a matriz que nos liga a todos reunidos aqui esta noite pode ser expressa da seguinte maneira: como uma derivação do trabalho de Gregory Bateson e Heinz von Foester, e em conexão com o trabalho original de Warren McGulloch, está a escola de biologia cognitiva de Santiago – representada no trabalho de Humberto Maturana e Francisco Varela. Estimulada por esse trabalho inicial que busca aproximar a biologia e a teoria da informação, está aquilo que eu chamaria de escola parisiense da biologia de sistemas auto-organizáveis, aqui representada por Henri Atlan. Agora vem outra corrente, bem diferenciada, que tem a sua origem num outro topo da montanha. Essa corrente é o trabalho de James Lovelock e Lynn Margulis na formulação da hipótese Gaia, como um modelo para uma dinâmica planetária e celular. Agora gostaria de propor que alçássemos voo para um nível mais alto, e visualizássemos esse cenário intelectual, como a lente de uma câmera Landsat. Poderemos ver que todas essas correntes fazem parte de um mesmo lençol d'água, e todas estão convergindo para alimentar um único lago. Vejo esse lago como uma metáfora para uma nova comunidade, uma nova ecologia do conhecimento. À medida que essas diferentes correntes de pensamento começarem a se interligar num ecossistema mais amplo, começaremos a deixar a atuação particularizada da pesquisa e da inovação científicas para uma ideia diferente, que não será apenas a de uma nova descoberta ou uma nova teoria, mas a de uma nova cultura planetária. Essa ótica é a agenda em aberto da Lindisfarne.

E agora, permitam-me retomar ao meu trabalho específico, não como anfitrião, mas como um historiador da cultura. Uma das coisas que me fascina na ciência, como uma atividade cultural, é o modo pelo qual as narrativas científicas (e aqui estou utilizando propositalmente um termo de ficção) são baseadas em concepções inconscientes de ordenação. Mesmo quando um cientista acha que está sendo meticulosamente racional, quando começa a anotar seus dados e organizá-los em uma narrativa, os fatos tornam-se semelhantes a morfemas organizados por uma gramática própria da linguagem de descrições. Estas descrições da "realidade" são as narrativas a que me refiro. O cientista não pode escapar à herança das tradições de narrativa de sua cultura, daquelas formas de sistematizar os eventos que podem ser tão simples como o começo, o meio e o fim; ou em padrões quádruplos mais complexos, tais como aqueles expostos nos ciclos de Carnot; ou nos ciclos de história Viconianos; ou nos estilos artísticos que vão desde o Arcaico até o Clássico, o Barroco, o Arcaísta.

Todas as narrativas, sejam elas artísticas, históricas ou científicas, estão ligadas a certos princípios inconscientes que ordenam tanto nossas percepções quanto nossas descrições. Por exemplo: é um truísmo de erudição aclamar a obra *As Guerras do Peloponeso*, de Tucídides, como o primeiro relato histórico verdadeiramente científico, em contraposição ao estilo mítico e lendário. Ainda assim, quando examinamos mais detalhadamente sua descrição da expedição a Siracusa, da partida da armada ateniense para o seu destino fatídico, percebemos que a narrativa é análoga à descrição do ato de Pátroclo que veste a armadura de Aquiles e caminha para além dos muros, além dos limites, para o seu desastre. Na tragédia épica de Homero, a virtude (*areté*) do indivíduo é inseparável de sua falha trágica (*hamartia*). Sob o comando de Temístocles, os gregos foram aventureiros destemidos, e isso os levou à vitória sobre os persas em Salamina. Então, quando Alcibíades torna-se um aventureiro destemido na expedição a Siracusa, ele é um ateniense por excelência. Mas o Kairos está errado; o limite foi ultrapassado, e assim a natureza, que propicia uma vitória gloriosa para Temístocles, destina uma derrota ignominiosa para Alcibíades. Quero dizer que, quando Tucídides tenta ir além da narrativa mítica para escrever história científica, ele ainda vê a história nos contornos das estruturas da poesia mítica que herdou da epopeia homérica. Naturalmente, vejo esse isomorfismo não como um sinal de fraqueza, mas como uma fonte de energia. A História, na sua forma mais elaborada, atinge a condição de virtude da poesia. Uma história descuidada e fria, na qual apenas se acumulam os fatos, nos diz muito pouco. Mas, uma história atentamente elaborada revela a verdade universal dos acontecimentos, como Aristóteles já afirmava muito tempo atrás.

Todas as narrativas são estruturações do tempo, e são, portanto, inevitavelmente relacionadas a sistemas inconscientes de ordenação. Pela sociologia do conhecimento criada por Feuerback e Marx, aprendemos como relacionar essas narrativas às condições econômicas e políticas de uma determinada cultura. Eu aceito as colocações que eles fazem, mas insisto em ir um pouco mais além. As organizações do conhecimento e da sociedade estão relacionadas tanto aos níveis mais profundos de organização e percepção quanto à consciência. Você pode ser kantiano e ver tudo isso como "conceitos da razão pura", ou platônico, dizendo que estas são formas arquetípicas do mundo inteligível que determinam os fenômenos do mundo visível. Inclino-me um pouco mais para o lado platônico, e vejo essas narrativas moldadas pelas ideias arquetípicas de ordenação. Mas também aprendi com os colegas zen-budistas, aqui presentes esta noite, que essas ideias platônicas não devem ser materializadas numa espécie de dogma sagrado e que elas também estão contidas em uma "procedência de mútua dependência" que está destituída de qualquer verdade absolutista. Todas as coisas se fundem em *sunyata,* mas não à mesma temperatura. Um objeto funde-se bastante rapidamente, mas um arquétipo, com o qual nós estruturamos a percepção dos objetos, encontra seu ponto de fusão mais lentamente e a uma temperatura mais elevada. Portanto, como vocês podem ver, sou marxista, platônico e budista – um genuíno produto do último quarto do século XX.

Agora que já me revelei tão filosófico e genérico, deixem-me ser mais específico e preciso, para dar-lhes alguns exemplos de narrativas científicas que estão enraizadas em ideias inconscientes de ordenação. Vejamos Darwin em sua obra *A Origem das Espécies:*

> A seleção natural não produz nada em uma espécie, exclusivamente para o bem ou prejuízo de uma outra; embora ela possa produzir partes, órgãos e excreções úteis, ou mesmo indispensáveis, ou, por outro lado, de grande perigo para outras espécies, mas, em qualquer desses casos, igualmente úteis ao possuidor. Em cada território bastante ocupado, a seleção natural se faz pela competição entre os habitantes; e o sucesso na luta pela vida é alcançado somente dentro dos padrões de sobrevivência daquele território em particular. Por esta razão, os habitantes de um território, geralmente o menor deles, submetem-se com frequência aos habitantes de outro, geralmente maior. Porque, no território maior deve ter existido

um maior número de indivíduos e formas mais diversificadas, e a competição deve ter sido severa, e portanto, o padrão de perfeição fixou-se em patamares mais elevados.[1]

Aqui, o sistema de ordenação é visto na forma de uma relação entre um grupo dominante e um subordinado. E o que é apresentado na narrativa biológica é a relação política entre a Inglaterra e a Irlanda. O darwinismo social não é uma perversão ulterior do Darwinismo; o darwinismo social é Darwinismo; a organização do conhecimento e a organização da sociedade derivam de uma única exteriorização da consciência, uma única *zeitgeist*. Num primeiro momento, a Inglaterra rejeitou o Darwinismo, ou, digamos que o clero, a classe tradicional dos latifundiários, rejeitaram a apologética inconsciente da nova burguesia liberal. Mas, na década de 1880, quando a nova classe capitalista havia consolidado firmemente o seu poder através da Revolução Industrial, o conhecido jornal londrino *Itustrated News* assumiu a bandeira do Darwinismo e começou a publicar caricaturas nas quais os irlandeses apareciam com feições simiescas. Os irlandeses tornaram-se o elo perdido e os ingleses os condutores da evolução no planeta. O Darwinismo, como apologética política para o Império Britânico, não podia ser melhor expresso do que através do final rapsódico da *A Origem das Espécies*:

> Podemos agora lançar um olhar profético para o futuro, para prever que serão as espécies comuns e mais disseminadas, pertencentes aos grupos maiores e dominantes dentro de cada classe, que afinal prevalecerão e propiciarão espécies novas e dominantes. Considerando-se que todas as presentes formas de vida são descendentes diretas daquelas que existiam muito antes do período cambriano, podemos ter a certeza de que a sucessão ordinária das gerações nunca foi interrompida, e nenhum cataclismo deixou o mundo inteiro desabitado. Consequentemente, podemos olhar com certa confiança para um futuro seguro e de extensa duração. E, como a seleção natural atua somente para o bem de cada espécie, todos os dotes físicos e mentais tendem a evoluir para a perfeição.[2]

Esse tipo de narrativa científica é realmente a descrição do Império Britânico, "as espécies comuns e mais disseminadas, pertencentes aos grupos maiores e dominantes", e é uma celebração da análise racional do domínio daquele grupo dentro de uma noção mítica de progresso. É bem interessante observar como o culto ao conceito de progresso parece realmente exigir uma rejeição do catastrofismo, como parte da dinâmica de mudança e/ou desenvolvimento. No século XIX, especialmente no trabalho do paleontólogo Cuvier, o catastrofismo era uma ideia predominante e era uma ideia que agradava às pessoas de orientação religiosa, porque se ajustava à teoria do pecado original e da ira de Jeová. Quando Hutton e Lyell conseguiram substituir o catastrofismo pelo uniformismo, forneceram a Darwin as extensões do tempo de que ele precisava para que fosse aceito seu modelo de desenvolvimento através da seleção natural. Segundo Lyell, a natureza comportava-se como um cavalheiro inglês; não havia sublevações vulgares e repentinas para perturbar a ordem natural do progresso em direção à perfeição, através da ciência e da razão. E, assim, o conceito de progresso estabeleceu as bases metafísicas para a sociedade industrial.

Hoje, entretanto, o quadro é bem diferente. O catastrofismo está retornando e, assim, precisamos começar a nos perguntar se as bases metafísicas da sociedade industrial não estão também se desintegrando. Há muita polêmica a respeito da extinção do período cretáceo e, certamente, James Lovelock faz todo o possível para apresentar um quadro de catástrofe como parte da dinâmica da evolução no planeta. Em *Gaia,* começamos com a evolução do sistema solar como a resultante de uma estrela supernova, ou o colapso de uma estrela binária. Então, procuramos focalizar mais atentamente a própria Terra, para concluir que uma das maiores catástrofes que ocorreram foi a mudança para uma atmosfera aeróbica, quando o oxigênio se tornou um veneno universal para toda a espécie anaeróbia então estabelecida na Terra. E, desse ponto, podemos nos deslocar no tempo até a catástrofe da extinção do período cretáceo. Assim como as formas da tragédia homérica tornaram-se os princípios de ordenação para as narrativas de Tucídides, a ideia de catástrofe é o princípio de ordenação para as narrativas de Lovelock em *Gaia.*

Para que não coloquemos toda a culpa das más notícias em nosso bem-vindo convidado James Lovelock, seria justo lembrar que a sua apresentação da ideia do catastrofismo é uma das mais científicas. E que essa mesma ideia tem conseguido penetrar na imaginação popular através da arte. Presenciamos uma visão de catástrofe nos filmes de Peter Weir e Werner Herzog, nos recentes romances de ficção interplanetária de Doris Lessing, no livro *Book of the Hopi,* ou nas profecias de líderes norte-americanos como Philip Derr. E, exatamente há um ano, neste mesmo recinto, Sua Santidade o Dalai Lama fez uma observação que lembrou bem o modo direto de expressar de Gregory Bateson. Sua Santidade disse: "Quando o homem altera o meio ambiente em uma velocidade muito rápida, como, por exemplo, quando transforma os oceanos de petróleo da crosta terrestre em um gás na atmosfera, (ele) cria uma situação na qual o ambiente muda mais rápido do que a sua própria velocidade de adaptação". Em 1976, o venerável Nechung Rinpoche contou-nos algumas das profecias do Oráculo do Tibete, bem como algumas das mais antigas profecias. Portanto, o meio cultural do qual Dalai Lama estava falando não é o que poderíamos chamar de "científico" e, ainda assim, não se poderia esperar por uma apresentação mais incisiva da catástrofe como uma "transição descontínua". Quando contei a Gregory Bateson o que o Dalai Lama havia dito, seus olhos arregalaram-se de surpresa.

Portanto, se olharmos com atenção à nossa volta, podemos perceber o retorno do catastrofismo às narrativas artísticas e científicas. Minha impressão é que isso significa que as bases mais profundas da sociedade industrial estão cedendo e, desde a matemática de René Thorn até os romances de Doris Lessing, estamos nos deparando com uma nova visão da dinâmica do planeta, uma visão de súbitas descontinuidades. Provavelmente, não foi por acaso que Ronald Reagan dispôs-se a invocar todas as pedras de toque da mentalidade industrial, precisamente no momento em que elas estavam se tornando inadequadas. Pois, é com frequência que se presencia na história que uma transformação radical é sempre precedida por uma intensificação das posições antigas. Basta lembrar as artes de guerra do século XV: exatamente no momento em que a armadura se torna mais elaborada, como o cavaleiro sendo elevado ao dorso do seu cavalo por meio de alavancas e roldanas, é exatamente o momento em que o cavaleiro em sua armadura se torna irrelevante, em razão do arco, da *besta* e das armas de fogo. Em outra oportunidade, já me referi a esse tipo de fenômeno histórico como "um efeito de ocaso", mas alguém pode considerá-lo como um tipo de estrela supernova, uma intensificação de um fenômeno que não resulta na sua continuidade, mas, sim, no seu desaparecimento. Deixando Reagan de lado, que tal falarmos sobre nós? Um tema que espero venhamos a discutir nesse nosso encontro é: como se relacionam os novos paradigmas na ciência e na arte com aqueles novos paradigmas na política.

Voltando ao tópico das narrativas, vamos considerar um exemplo mais bem-humorado do que aquele que nos foi possibilitado por Darwin. Aqui está o roteiro das aulas de Geologia do Professor William Buckland, em Oxford. É desta forma que ele resume o seu curso:

> Em primeiro lugar, as indicações do poder, sabedoria e bondade da Divina Providência serão demonstradas pela evidência da finalidade de suas obras, e em particular pela feliz distribuição de carvão, ferro e calcário, através da qual o Arquiteto Onipotente ou Engenheiro Divino assegurou a primazia de indústria para as suas criaturas britânicas.[3]

Essa é a Universidade de Oxford falando, quer dizer, "os melhores e os mais brilhantes" de sua época. Espero que, no próximo século, nossa cultura tenha se desenvolvido o suficiente para que os pronunciamentos de E.O. Wilson em Harvard pareçam igualmente ridículos.

Dei a esta palestra de abertura o título de "Implicações culturais da nova biologia", mas é evidente que se trata de uma demasiada simplificação, pois não existe apenas uma nova biologia, mas diversas modalidades delas em competição. Porém, desde que nós humanos temos um lado esquerdo e um direito, a tendência é organizar nosso mundo e nossa política em lados diferentes. Assim, permitam-me traçar um rápido esboço, uma caricatura, se preferirem, da nova biologia da direita e da nova biologia da esquerda. À direita está a Biossociologia de E.O. Wilson; à esquerda, os biólogos reunidos neste recinto. Para avaliar a diferença, façamos um confronto entre algumas afirmações de Wilson e de Humberto Maturana. Vejamos aqui, Wilson:

Em sociologia, a transição da teoria puramente fenomenológica para a fundamental deve esperar por uma explanação neurônica completa do cérebro humano. Somente quando a maquinaria puder ser desmontada no papel até o nível da célula, e depois montada novamente, é que as propriedades da emoção e do juizo ético se tornarão claras.[4]

Podemos ver que, na linguagem escolhida por Wilson, a realidade somente pode ser percebida através de um ato de desmontagem da maquinaria para se chegar aos fundamentos. O reducionismo é aceito como o primeiro ato para a compreensão, e a agressão é vista como a resposta apropriada da cultura à natureza. A mentalidade industrial arcaica não poderia estar tão presente e, dessa forma, eu vejo tanto Wilson quanto Reagan como parte da apologética para o sistema gerencial que associa a ciência ao capitalismo do Estado. Agora, vejamos um pouco de Maturana:

Os neurônios são unidades anatômicas do sistema nervoso, mas não são os elementos que constituem o seu funcionamento. Os elementos estruturais do funcionamento do sistema nervoso ainda não foram definidos. Quando forem definidos, é provável que se descubra que eles devem ser representados em termos de invariáveis de atividades relativas entre neurônios. Tais elementos estruturais devem, de alguma forma, estar contidos em invariáveis de relações de ligações, e não em termos de entidades anatômicas separadas. Nos sistemas construídos pelo homem, esta dificuldade conceitual não é tão evidente porque o sistema de relações (a teoria), que integra as partes que o descritor (o observador) define, é fornecido por ele, e é especificado no seu domínio de interações; como consequência, essas relações parecem tão óbvias ao observador que ele as trata como resultado da observação das partes, e se ilude, negando que fornece a teoria não formulada que abrange a estrutura do sistema o qual ele projeta sobre elas. Nos sistemas vivos a situação é diferente: o observador pode apenas fazer uma descrição de suas interações com as partes que ele define através das interações. Mas essas partes encontram-se somente em seu domínio cognitivo. A menos que elabore, implícita ou explicitamente, uma teoria que compreenda a estrutura relacional do sistema e substitua conceitualmente a sua *descrição* dos componentes, ele não conseguirá jamais entendê-lo. Portanto, uma explanação completa da organização do sistema nervoso (e do organismo) não deverá surgir de nenhuma observação específica, ou descrição detalhada e enumeração de suas partes, mas, sim, da síntese, conceitual ou concreta, de um sistema que execute as funções que o sistema nervoso (ou o organismo) executa.[5]

Como podemos ver, Wilson e Maturana constituem-se duas figuras opostas. Mas nestas duas diferentes biologias estão contidas duas ideias diferentes de metodologia, duas ideias diferentes de ordenação e, implicitamente, duas ideias diferentes de ordem política. A Biossociologia nega o valor ontológico do indivíduo – todo valor se baseia na combinação genética e nas relações de "capacidade natural de adaptação". O indivíduo é simplesmente uma embalagem para o "gene egoísta". Esta ótica da organização, das partes para o todo, é a visão do mundo de uma sociedade tecnocrata, assim como a percepção de Darwin, a respeito da luta pela sobrevivência, era a visão do mundo de uma sociedade industrial. A Biossociologia é uma forma de apologética para a conduta tecnocrata: desde que o cientista, individualmente, não consegue abranger todas as informações da ciência, então a ciência se torna mais importante que o cientista. Nesse mundo ilusório, a ciência passa por um endeusamento que a eleva acima da mente criativa do cientista e o método científico é reificado num procedimento absoluto, o qual tem muito pouco a ver com os verdadeiros métodos utilizados pelos cientistas humanos para fazer descobertas e criar novas teorias.[6]

O papel das unidades é assim duplamente negado pela Biossociologia: primeiro, as unidades são desmontadas e definidas em termos de fragmentos no método reducionista; segundo, as abstrações – como espécies, combinação genética e capacidade de adaptação – são materializadas, e não simplesmente vistas como uma metodologia descritiva do observador. Este mundo de fragmentos soltos e abstrações fantásticas é o mundo assustador da ciência, capitalista ou socialista, um mundo completamente divorciado dos processos orgânicos da vida numa ecologia.

A biologia de Maturana e Varela, ao contrário, começa com a noção fundamental das unidades. Em sua obra *Principles of Biological Autonomy*,[7] Varela discute a falência da biologia convencional, para reconhecer que o indivíduo é a verdadeira unidade ontológica em evolução. Não observamos uma espécie; elaboramos a ideia de uma espécie num espaço histórico imaginário. A criação de uma espécie numa descrição biológica é uma função da história natural que está ligada à história cultural. Aqui o indivíduo assume um novo valor ontológico. Sob vários aspectos existe uma atraente ligação entre a autopoética de Maturana e Varela e a teoria quântica de Heisenberg, pois ambas comungam de uma epistemologia bem mais sofisticada. Heisenberg lembrava que não existe nada que se possa chamar de "ciência da natureza"; mas, sim, uma ciência do conhecimento do homem sobre a natureza. Não vivemos numa realidade, vivemos numa série de descrições de realidade. Em suas experiências de laboratório relacionadas à fisiologia da percepção, Maturana e Varela nos têm oferecido alguns exemplos vivos de como a "realidade" é uma elaboração. O organismo é muito mais do que um modelo de Locke bombardeado por inumeráveis impressões meteóricas externas. Em um exemplo, na visualização da cor, eles mostram que os sinais chegam em momentos diferentes, e que o organismo os reúne. A visualização da cor é literalmente uma elaboração sincrônica.

Ora, se não temos uma ciência da natureza, mas, sim, uma ciência do conhecimento do homem a respeito da natureza, então a Ciência não é uma divindade exterior, como Jeová, que nos governa de uma forma autoritária; ela é uma atividade humana. Tão humana, na realidade, que podemos dizer com mais precisão que a história natural é uma subsérie da história cultural, e não o inverso. O conceito de unidade torna-se, portanto, uma percepção importante de que a natureza é constituída de processos em vez de objetos, e que esses processos relacionais são sempre eventos dentro da esfera de ação de um observador. O biossociólogo procura por objetos sólidos e irredutíveis, que ele possa manipular, mas Heisenberg diz que o universo é feito de música, não de matéria. Assim, quando um biólogo observa os processos e participa com eles numa atividade de descrição, a consciência está participando com cognição naquilo que Maturana e Varela chamariam de "a compreensão da vida" ou que Gregory Bateson gostava de chamar de "Mente". Recuando ainda mais, para além da obra de Gregory, podemos relacionar essas ideias da biologia cognitiva à filosofia do organismo na obra de A.N. Whitehead. A visualização da cor parece ser uma área excepcionalmente feliz e apropriada para se pesquisar sobre a natureza do processo. Outra, seria a simbiose. Tradicionalmente, a maioria dos biólogos não tem aceito a ideia de que as células eucarióticas evoluíram através de um processo de organelas, tornando-se endossimbiontes, pois ela foi contra a natureza ao mover-se na outra direção do *reducionismo* em *partículas atômicas.* A tendência para objetos e a ignorância em relação ao processo tornaram a simbiose uma noção particularmente difícil. A ideia era também uma afronta ao darwinismo social, pois ela parecia associar-se mais ao ponto de vista de Kropotkine em *Mutual Aid.* Algumas assertivas nos escritos de Lynn Margulis, como: "a escassez de alimento na natureza provavelmente seleciona os simbiontes acima dos parceiros individualizados", não estão em harmonia com os sistemas de valor de uma sociedade industrial. Esta noção de compartilhar o alimento é realmente fundamental para nossa biologia e nossa política. Não há descrição mais expressiva do que a nossa ideia da origem da humanidade, pois a maneira como alguém vê as origens da cultura humana é também uma descrição da maneira como esse alguém deseja ver o futuro da humanidade.

Na antropologia há duas correntes radicalmente opostas sobre as origens da cultura humana. Uma delas é a ideia, popularizada por Robert Ardrey, de que foi a ferramenta que nos tornou humanos e uma cultura separada da natureza. Sob este ponto de vista, o ato de matar é aquele que mais identifica nossa condição de seres humanos. A arma tem a sua força própria, e arremessa aquele que a utiliza para um novo nicho ecológico, uma nova adaptação. E tudo que é deixado para trás nada mais é que a extirpada natureza do primitivo. A ferramenta de pedra, exatamente como foi mostrada no filme de Kubrick: *2001 – Uma Odisseia no Espaço,* é semelhante a um foguete espacial: no momento em que é detonado em direção aos céus, provoca o inferno àqueles que por acaso estejam sob ele. É apenas um pequeno passo que vai da antropologia de Ardrey à triagem de Garret Hardin. Hardin ridicularizou a política de boa vontade sentimental daqueles que enviam alimentos para a África ou Sudeste da Ásia. Segundo Hardin, esta atitude autopromocional do doador apenas aumenta o número de sofredores e prolonga sua agonia; seria mais caridoso lançar uma bomba atômica sobre eles. Dessa forma seu sofrimento teria fim, e o seu número seria reduzido a níveis suportáveis no planeta. Mais uma vez vemos a noção de que é no ato de matar que expressamos nossa humanidade; uma nova tecnologia atômica lança uma nova elite em uma nova adaptação evolutiva. E, mais uma vez, os primitivos macacos são postos de lado para dar lugar a uma nova cultura tecnológica. Se juntarmos a antropologia de Ardrey à Sociologia de Hardin e à Biossociologia de Wilson, poderemos imaginar estes "astros" do pensamento agrupados numa constelação para um novo cenário histórico. Entramos numa época em que um estado autoritário está controlando os recursos mundiais, sob a direção da máquina burocrática de uma ciência corporativista. Da engenharia genética na tiragem de colheitas e populações, ou da energia e do poder centralizados em usinas nucleares com suas tropas e seus reatores, podemos divisar um quadro evidente da crise de administração do sistema mundial no final do século XX.

Mas, há um outro quadro das origens da cultura humana, e esse também se associa a uma outra visão do futuro da humanidade. Glynn Isaac, em seu ensaio sobre comportamento do proto-homínidas de compartilhar o alimento,[8] nos diz que suas pesquisas arqueológicas na África levam a crer que o alimento era transportado de um lugar para outro, onde era distribuído em condições de relativa segurança. Neste exemplo, a atitude básica que nos torna humanos é a partilha do alimento; nao é de admirar que os religiosos entre nós achem que a verdadeira condição humana é alcançada mais plenamente através da comunhão do alimento, seja ela a *seder* judaica ou a eucaristia cristã. É interessante verificar que a revista *Nature*, Henry Bunn adota as ideias de Isaac quando diz: "A documentação da ingestão de carne e da concentração de ossos em determinados lugares pelos primitivos homínidas reforça a proposta de Isaac sobre um padrão de partilha de alimento".[9]

Na definição tecnológica da cultura humana, a ferramenta separa fundamentalmente a cultura da natureza. Na definição social da cultura humana, o ato de partilhar o alimento estabelece uma relação entre natureza e nutrição. Esta visão de um relacionamento é enfatizada de maneira simbólica no sacramento cristão, pois quando alguém transforma o grão de trigo em pão, esse alguém executa o movimento que associa a natureza à cultura; e assim acontece com o movimento da uva para o vinho. Quando Jesus toma em suas mãos o pão e o vinho e diz: "Comam e bebam em minha memória, pois este é o meu corpo e o meu sangue", ele não é o psicopata masoquista que Freud dizia, mas um poeta com uma visão ecológica da vida, que usa o mito e o símbolo para mostrar como o significado da vida é o alimentar-se um ao outro. Os escritos Upanizade expressariam a ideia num diferente estilo poético ao dizer que: "A terra é alimento; o ar vive na terra, o ar é a terra; eles são alimentos um para o outro". Portanto, a ideia ecológica do Corpo Místico de Cristo, colocada por São Paulo, é a visão de um ser planetário: uma célula na qual nós, os indivíduos, somos organelas.

Ora, se a partilha do alimento é o nascedouro e a fonte de nossa humanidade original, então nós alcançamos a plena condição de seres humanos quando partilhamos o alimento. E, assim, concordamos com Lewis Thomas em sua obra *Lives of a Cell*, quando afirma que todo o nosso planeta é uma única célula, e que nós todos somos apenas organelas simbióticas ligadas umas às outras. Não pode haver "nós" nem "eles". A política global que emana desta visão é verdadeiramente "bios" e "logos".

Não é de admirar que muitos cientistas rejeitem a teoria da "simbiose e evolução da célula", e que Lynn Margulis fosse obrigada a se empenhar com afinco por toda uma década para conseguir apoio às suas ideias.[10] Tanto a rejeição da simbiose quanto da autopoesia são manifestações de uma mesma mentalidade: a valorização dos objetos acima dos processos, dos fragmentos acima das relações construtivas, da tecnologia e controle acima da epistemologia e da compreensão.

Portanto, como podemos ver, as duas biologias são implicitamente duas políticas diferentes, porque elas são essencialmente duas visões diferentes do mundo. Uma fornece a apologética científica para a crise de administração do falido sistema mundial atual; a outra fornece os fundamentos para a política de uma nova cultura do planeta. Uma é enfatizada e subsidiada pelas universidades e governos; a outra é enfatizada por Lindisfarne, um grupo que, como todos sabemos, carece de fundos para patrocinar qualquer atividade científica. Tanto o capitalismo estatal tecnocrático quanto o socialismo científico estão confinados numa visão industrial do mundo. Na Europa, os marxistas tentaram absorver o tema da ecologia em sua retórica política, achando que isso poderia render-lhes um novo eleitorado e uma base popular mais ampla. Mas a ecologia significa um modo diferente de pensar e, no caso da biologia do conhecimento, uma maneira radicalmente diversa de encarar a estrutura e a organização. Estas novas ideias não se encaixam no materialismo dialético e no socialismo científico. A *intelligentsia* do Leste Europeu terá que fazer uso de toda a sua festejada inteligência para repensar toda a questão relacionada à mente humana, de acordo com a linha sugerida por Gregory Bateson na última parte do seu livro: *Steps to an Ecology of Mind*. A engenharia genética das colheitas e a administração biossocial da sociedade podem se ajustar perfeitamente ao novo formato do marxismo-leninismo. E, certamente, a crise de administração em nossa sociedade norte-americana pode alcançar o ponto de uma fusão cultural por meio de procedimentos tecnológicos. Mas, a hipótese Gaia de Lovelock e Margulis, a biologia cognitiva de Marturana e Varela e a ecologia de Jackson e Todd apontam mais na direção do anarquismo moderado de Kropotkine do que para o socialismo científico de Trotsky e Lenin. Nesse sentido, portanto, Lindisfarne não é nem de esquerda e nem de direita, reacionário ou *avant-garde,* mas tudo isso ao mesmo tempo.

Na minha opinião, o princípio fundamental que emana desta nova maneira de pensar é que os organismos vivos expressam uma dinâmica, na qual os opostos são inerentes e a oposição é essencial. Ninguém pode dizer que o oceano é o certo e o continente é o errado, dentro da visão Gaia do processo planetário. Acho que isso significa que a mudança da maneira de pensar industrial arcaica, para uma nova cultura do planeta, caracteriza-se por uma mudança da ideologia para uma ecologia da consciência. Numa forma ideológica de pensamento, as pessoas acreditam que a Verdade pode estar expressa numa ideologia, e que aquela ideologia pode ser transmitida às massas por uma elite que é pura e verdadeira para com aquela ideologia. Não importa que estejamos falando dos aiatolás do Irã, comunistas do Politburo, capitalistas do Instituto Hoover, ou terroristas do Exército Vermelho; a estrutura de pensamento é a mesma; só se altera o conteúdo. Agora, numa política elaborada dentro dos contornos dos opostos, uma comunidade de enantiomorfos, a noção fundamental é a de que a Verdade não existe a não ser no relacionamento entre os opostos. Portanto, toda ideologia é parcial e demasiado incompleta em sua mais pura elaboração. Como Niels Bohr declarou uma geração atrás: "O oposto de um fato é uma falsidade, mas o oposto de uma verdade profunda pode ser outra verdade profunda". Capitalismo e comunismo, ou judaismo e islamismo, são tanto um quanto o outro simultaneamente corretos. Um novo sistema global terá que ser uma ecologia da consciência, na qual os opostos deverão interagir através de formas não aniquiladoras.

O segundo princípio de uma comunidade de enantiomorfos se expressa na ideia da hierarquia. A hierarquia é um sistema que retira a energia de um nível perigoso, ou não utilizável, e a transforma, tornando-a disponível para o trabalho em um nível inferior e mais difundido. Por exemplo: a atmosfera terrestre capta a energia solar e a introduz numa forma acessível para uma vida sem câncer da pele. O oposto natural deste princípio hierárquico é o holográfico: todo microcosmo espelha o macrocosmo; o precursor ou gênio pode existir como um agente de transformações, mas a ação divina está igualmente presente em tudo. Portanto, quando as hierarquias políticas tentam, de uma forma faraônica, materializar as hierarquias espirituais ou culturais, uma energia idêntica e oposta é liberada, a qual poderia ser chamada de "a redenção através do primitivo". Na história temos presenciado isso como uma constante na luta de tribos contra impérios. No princípio holográfico, há um refluxo de energia; se a energia é esbanjada em uma simples pirâmide, então o sistema é rompido por uma revolução. O ícone para essa relação dos opostos não é a pirâmide, mas os triângulos duplos de *A Vison* de Yeats.

O terceiro princípio de uma comunidade de enantiomorfos não seria aquele vertical da transcedência, mas, sim, aquele horizontal da imanência: os valores não são objetos, mas configurações onduladas que surgem quando da superposição dos opostos. Quando capitalistas e comunistas lutam entre si, a verdade não está em nenhum deles, mas nas formas onduladas que eles estabelecem em seu conflito. A verdade está no sistema, e não fora dele; e tanto o indivíduo como a coletividade são necessários para expressar o que chamamos de vida.

O quarto princípio é temporal: a ideia da enantiodromia que Jung retirou da alquimia e que analisei no meu trabalho, *Evil and World Order*.[11] Esta ideia lembra, simplesmente, que cada processo social, para a realização de um valor, transforma-se em seu oposto quando completado integralmente. O Aiatolá Khomeini torna-se outro Xá. Se o Aiatolá não tivesse tentado materializar o princípio da hierarquia em um estado teocrático, teria descoberto a necessidade dos triângulos duplos (os quais, ironicamente, estão presentes na filosofia xiita, conforme nos explica Henry Corbin), e não se teria transformado, de maneira tão cruel, em seu próprio inimigo.

Para que a gramática da língua inglesa possa ordenar minhas sentenças, é preciso que ela esteja fora delas. E assim acontece com a gramática espiritual do Ser: ela só pode inspirar a política através da plenitude da cultura. Quando princípios espirituais são materializados em uma hierarquia política, o resultado é uma terrível perversão pela confusão dos níveis. Tanto pode ser o Irã contemporâneo, ou a Igreja Católica da Inquisição, ou o Império Asteca. Uma vez que nos tornamos aquilo que odiamos e a força da nossa paixão pessoal nos transforma na figura do nosso próprio inimigo, então, a dinâmica da enantiodromia mantém mecanicamente em movimento as engrenagens do *sumsura** da mesma forma que o Aiatolá se torna Xá. O chamamento para uma política de esclarecimento é o mesmo que o de Jesus para amarmos os nosso inimigos, para deixarmos um conflito estúpido e agitado em troca de uma oposição desapaixonada e diligente, de "*eras*" a "*aqapé*". William Blake mostra que compreendeu melhor as palavras de Jesus, quando afirma: "Na oposição está a verdadeira amizade" ou "Sem oposição não há progresso".

Estes princípios para uma comunidade de enantiomorfos não são regras filosóficas a ser impostas por novos

---

* Do sânscrito, quer dizer: passagem para o estado sucessivo. [N.T]

guardiães revolucionários, mas simples perspectivas de uma compaixão política necessárias para uma cultura global nova e saudável. Já no fim de sua vida, nosso antigo companheiro de Lindisfarne, E. F. Schumacher, chegou a um ponto de vista semelhante:

> Os pares de opostos, entre os quais a *liberdade* e a *ordem*, o *desenvolvimento* e a *decadência* são os mais básicos, trazem a tensão ao mundo. Uma tensão que aperfeiçoa a sensibilidade do homem e intensifica sua conscientização. Nenhum conhecimento real é possível sem a consciência desses pares de opostos que permeiam tudo o que o homem realiza. Na vida das sociedades há uma necessidade tanto de justiça quanto de misericórdia. Tomás de Aquino disse: 'Justiça sem misericórdia é crueldade; misericórdia sem justiça é a mãe da dissolução'. Uma identificação bastante clara de um assunto polêmico. A justiça é uma negação da misericórdia e a misericórdia é uma negação da justiça. Somente um poder maior é capaz de reconciliar estes opostos: a sabedoria. O problema não pode ser resolvido, mas a sabedoria pode transcendê-lo. Da mesma forma, as sociedades precisam de estabilidade e mudanças, tradição e inovação, interesse público e interesse privado, planejamento e *laissez-faire,* ordem e liberdade, desenvolvimento e declínio. Em toda parte, a saúde de uma sociedade depende da busca simultânea de atividades e objetivos mutuamente opostos. A adoção de uma solução definitiva resulta em uma forma de pena de morte para o senso de humanidade do homem e significa crueldade ou dissolução, ou quase sempre ambas.[12]

Agora, deixem-me colocar as ideias de Schumacher ao lado da síntese da teoria da informação e biologia, de Henri Atlan. Este é um trecho de sua obra *Entre le cristal et la fumée:*

> Portanto, é suficiente considerar a organização como um processo ininterrupto de desorganização-organização, e não como um estado. Pois, a ordem e a desordem, o organizado e o eventual, a construção e a destruição, a vida e a morte, não são mais tão diferentes. E o mais importante é que isso não é tudo. Estes processos, nos quais se realiza a unidade dos opostos, não se tornam um novo estado, uma síntese da tese e da antítese. Estes processos não podem existir, a

não ser que os equívocos sejam *a priori* equívocos corretos, que a ordem seja, em dado momento, corretamente perturbada pela desordem; que a destruição, embora não totalmente concretizada, seja ainda assim real; que a eclosão do evento seja uma eclosão correta: uma catástrofe ou um milagre, ou ambas as coisas. Em outras palavras, estes processos que se nos apresentam como os fundamentos das organizações dos seres vivos, resultantes de um tipo de colaboração entre coisas que costumamos chamar de vida e morte, só podem existir se não aceitarmos simplesmente a ideia de colaboração, mas sempre de oposição e negação radicais.[13]

Não somos apresentados aqui a algum tipo de compromisso liberal confortante e agradável, mas, sim, a uma visão mais próxima da tragédia grega, na qual a Verdade se expressa apenas até o ponto em que os polos estejam realmente polarizados, com suficiente energia para permitir que o campo magnético se expanda diante de nós. A visão de Atlan é claramente de dialética e negação. Não obstante, há limites; há parâmetros de limitação que mantêm os sistemas vivos como sistemas vivos. Se sairmos do Beulá obscuro de Blake, onde todos os opostos são verdadeiros, porque a alma está em repouso, e formos para a vibração de vida da *New Age* (Nova Era), será o mesmo que sairmos da batalha corpórea de Blake para a batalha mental em uma transformação alquímica.

Através do Espírito, o mundo sempre foi uno; e agora, através da tecnologia eletrônica, o mundo aprendeu novamente a se ver como uma unidade. Mas não temos ainda uma política que acompanhe nossa espiritualidade, arte, ciência ou tecnologia. E esta parece ser a tarefa talhada para a nossa geração. Despertai, jovens da Nova Era! Levantai as cabeças contra os mercenários ignorantes! Pois os mercenários estão no campo, na cidade, e na universidade. E se pudessem, eles abrandariam a batalha mental e prolongariam a batalha corpórea.[14]

Para sairmos de uma condição de ideologias em conflito, para uma ecologia da consciência em níveis globais, vamos precisar de um esclarecimento mais profundo do que aquele de cunho filosófico que inspirou as revoluções francesa e norte-americana. Algum progresso tem sido feito nessa direção, mas ainda estamos nos primórdios da mudança de um sistema global para outro. Lentamente, o mundo vai se organizando em blocos transnacionais. No presente momento, esses blocos são apenas de caráter econômico, que estão criando formas de associação além dos limites das culturas regionais; elas não são ainda culturas planetárias dentro de uma ecologia global da consciência. Todavia, um modelo quádruplo de associação ainda não é visível.

1. O Mundo Capitalista (EUA, Europa Ocidental, Japão, os países da Costa do Pacífico, Coreia, Taiwan, Austrália).
2. O Mundo Comunista (Rússia, Leste Europeu, China, parte da África e América Latina).
3. O Mundo rico em reservas.
4. O Mundo pobre, ou os países menos desenvolvidos.

No terceiro bloco, tanto a economia quanto a religião apresentam modelos de associação transnacional. E, uma questão que será um desafio para as ideologias tanto do capitalismo quanto do socialismo, é a forma como o islamismo ultrarreacionário e a indústria de petróleo realizarão suas negociações. Mas, qualquer que seja o evento, o mundo é por demais vasto e complexo para ser dominado por um desses quatro blocos isoladamente, não importam os sonhos megalomaníacos de um Islã universal, de um comunismo universal, ou de um cristianismo fundamentalista universal.

Na transição entre a ideologia e uma ecologia da consciência, é bem possível que divisemos um vulto que provavelmente será o preceito da *técnica*. Nesse ponto, o técnico nos aconselhará a deixar de lado nosso conflito de ideologias, para adentrar o mundo mais avançado da tecnologia. O preceito da *técnica,* segundo nos mostram Jacques Ellul e Ivan Illich, é uma camuflagem suficiente para os preceitos de uma classe especial de burocratas, e, segundo essa mentalidade estreita, uma ideologia deve ser simplesmente substituída por outra. É por esta razão que os mecanistas globais, os Bucky Fullers e os Jay Foresters, não conseguem nos acompanhar na ideia de uma nova cultura planetária. Para incursionar numa nova ecologia da consciência, precisamos também das sugestões dos místicos do planeta. A compreensão da *não ideologia* numa comunidade passa pela compreensão do *não ego* do indivíduo. E é nesse ponto que o budismo assume uma renovada relevância para as formas de educação em uma cultura eletrônica, para além dos limites da reforma com sua "ética protestante e o espírito do capitalismo". É por esta razão que o trabalho sobre educação, preparado aqui na Lindisfarne, visa não simplesmente a um diálogo entre as religiões do mundo – pois isso é burocrático demais – mas a uma associação voltada para a meditação. E é por isso também que na "Lindisfarne Fellowship" nós temos procurado criar, não uma nova ideologia, a qual todos aceitemos, mas uma ecologia de diferenças coligadas. E é por isso, ainda, que temos esta reunião de debates sobre a nova biologia, no interior de um mosteiro zen-budista.

Há muito tempo, na época da passagem do regime medieval para o moderno sistema mundial, a pequena escola da Academia de Ficino, na Florença renascentista, servia para reunir poetas e filósofos que buscavam antever uma nova cultura. Alguns séculos mais tarde, um grupo de pensadores, entre os quais Franklin e Jefferson, reuniram-se na Sociedade Filosófica Americana para antever uma nova sociedade democrática. Agora, à medida que adentramos o período de crise para o moderno sistema mundial das nações industrializadas – um período que não é simplesmente de guerra de recursos, mas também de prejuízos ecológicos para todo o planeta em razão da industrialização descontrolada – precisamos nos reunir para antever um mundo novo. A biologia se tornou para a ecologia, em nossa nova sociedade, o mesmo que a física era para a engenharia na sociedade industrial. À medida que passamos da economia para a ecologia, como a ciência dominante de nossa era de solidariedade, nossa política terá que nos ajudar a compreender que, acima de todas as provisões e limites estabelecidos, aquilo que realmente conta não pode ser computado.

NOTAS

1. Como citado em *Darwin*: The Norton Critical Anthology. New York: Norton, 1970. p. 169.
2. Ibid., p. 198.
3. In C. C. Gillispie's *Genesis and Geology*. New York: Harper & Row, 1959. p. 104.
4. WILSON, E. O. *Sociobiology*: The New Synthesis. Cambridge: Harvard, 1975. p. 575.
5. MATURANA, Humberto; VARELA, Francisco. *Autopoesis and Cognition:* The Realization of the Living. Dordrecht: Holland, Reidl & Co., 1980. p. 47.
6. FEYERABEND, Paul. *Against Method*. London: Verso Edition, 1978.
7. VARELA, Francisco. *Principles of Biological Autonomy*. New York: Elsevier-Holland, 1979. p. 39.
8. ISAAC, Glynn. "The Food-Sharing Behavior of Proto-Hominids", *Scientific American,* April, 1978, v. 238, n. 4, p. 90-108.
9. BUNN, Henry T. "Archaeological Evidence for Meat – Eating by Plio-Pleistocene Hominids from Koobi Fora and Olduvai Gorge", *Nature,* v. 291, June 18, 1981, p. 576.
10. MARGULIS, Lynn. *Symbiosis and Cell Evolution*. San Francisco: Freeman, 1981.
11. THOMPSON, William Irwin. *Evil and World Order*. New York: Harper & Row, 1976. p. 79.
12. SCHUMACHER, E. F. *A Guide for the Perplexed*. New York: Harper & Row, 1977. p. 127.
13. ATLAN, Henri. *Entre le cristal et la fumée*. Paris: Edition de Seuil, 1979. p. 57.
14. BLAKE, William. Prefácio a Milton em *The Poetry and Prose of William Blake*. David Erdman (Ed.). New York: Doubleday, 1965. p. 94.

PARTE I

A Biologia e uma Teoria do Conhecimento

1

GREGORY BATESON

OS HOMENS SÃO COMO A PLANTA

A metáfora e o universo do processo mental

Esta é a gravação de uma palestra que deveria ser apresentada no Encontro da "Lindisfarne Fellows", em Green Gulch, no mês de junho de 1980. Gostaria de poder estar aí com vocês, mas quando soube que seria praticamente impossível estar presente em Green Gulch para esse encontro, conversei com Bill Thompson e sugeri gravar uma mensagem para ser ouvida na ocasião, caso ele assim o desejasse. Se isso fosse inviável, tenho certeza de que qualquer um dos presentes neste recinto seria capaz de tomar a iniciativa para uma palestra nesta oportunidade. Bill me sugeriu que seria interessante falar sobre algum assunto de minha preocupação nestes últimos dois ou três meses, transmitindo-o a vocês como base para discussões. Há duas coisas em que tenho pensado bastante. Uma delas é o âmbito geral, talvez demasiado geral, e a outra é bem específica. Se pudesse estar aí com vocês, preferiria, com certeza, abordar o assunto mais específico, na espectativa de um debate que me seria muito útil. Mas, já que isso não parece ser possível, permitam-me apresentar este de cunho mais genérico, o qual, na realidade, é o resultado de um levantamento de quase tudo que já fiz em minha vida. Um levantamento dos rumos que sempre tentei seguir, embora esse rumo, é claro, venha sendo redefinido a cada novo projeto.

Cresci em meio aos princípios genéticos mendelianos. O vocabulário que usávamos naquela época era bastante curioso. Costumávamos nos referir aos fatores mendelianos. Ora, a palavra "fator" foi escolhida para evitar dizer-se "causa", e ao mesmo tempo evitar a palavra "ideia" ou "comando". Vocês devem se lembrar que ocorreram no século XIX batalhas intensas e cruéis acerca do conceito Lamarckista da hereditariedade dos caracteres adquiridos. Este conceito tornou-se um tabu porque acreditava-se – incorretamente, eu acho – que ele apresentava um componente sobrenatural à interpretação biológica. Esse componente era chamado diferentemente de "memória", "mente" etc., mas não creio que fosse um elemento sobrenatural. Parece-me que ele se enquadraria, com algumas poucas alterações, no cenário geral da interpretação biológica. Entretanto, sua inclusão alteraria as bases da biologia desde os aspectos mais elementares, e alteraria as ideias sobre o nosso relacionamento com a mente, nosso relacionamento com o outro, nosso relacionamento com o livre arbítrio etc. Em suma, toda a nossa concepção de epistemologia. Pelo que acabo de dizer, vocês poderão notar a minha posição de que a epistemologia, as teorias da mente e as teorias da evolução parecem ser a mesma coisa. E epistemologia é uma denominação de certa forma mais geral que abrange tanto as teorias da evolução quanto as teorias da mente.

As lutas neste campo de batalha têm sido ferozes e cruéis e, salvo algumas poucas exceções, ninguém gostaria de passar por elas novamente. Portanto, elas ainda são uma realidade. De qualquer forma, naquela época parecia mais seguro fazer referência a agentes causais, ou aos componentes da explanação genética, como "fatores" em vez de "comandos" ou "memórias". Darwin, como vocês todos sabem, tinha evitado a questão da mente e da matéria nas últimas páginas de sua obra *The Origin of Species*. Ali ele sugere que, enquanto sua teoria da evolução dava conta do que tinha acontecido aos seres vivos, uma vez que a evolução biológica tivesse começado na face da Terra, era possível que toda aquela vasta herança não tivesse começado na terra, mas, sim, chegado ao nosso planeta na forma de uma bactéria, trazida por ondas de luz ou qualquer outro meio. Uma teoria que sempre achei um tanto pueril. Um membro da família de Darwin me disse que isso foi colocado porque ele estava um tanto receoso pela possível reação de sua mulher, uma cristã fervorosa. Seja como for, a questão mente/corpo ou mente/matéria foi evitada no início do século XX. É ainda evitada no ensino da zoologia, e as expressões "fator mendeliano", "alelos" etc. não passavam de eufemismos conscientes para evitar reconhecer que o campo da investigação científica estava bastante dividido.

Uma coisa que pode parecer estranha é que, na década de 1890, meu pai tinha se determinado a fazer, aproximadamente, o mesmo que eu venho tentando fazer nestes últimos meses. Ou seja, indagar como ficaria o universo do processo mental se nós separássemos – apenas para efeito de investigação – esse universo daquele de causa-efeito. Minha impressão é de que ele chamaria isso de leis da variação biológica, e eu estaria disposto a aceitar esse título para o que estou fazendo, incluindo talvez tanto a variação biológica quanto a mental – antes que esqueçamos que o ato de pensar é uma variação mental.

E, evidentemente, eu me movimento neste campo com um arsenal de instrumentos que meu pai nunca teve. Talvez seja interessante mencionar uma breve lista deles: há toda a cibernética, toda a teoria da informação e aquele campo afim, o qual poderíamos possivelmente chamar de teoria da comunicação – embora, como vocês poderão ver, eu não goste muito dessa expressão. Teoria da organização, ficaria um pouco melhor. Teoria da ressonância, talvez um pouco melhor ainda. Além disso, há um aspecto muito importante: tenho uma posição bastante diferente em relação a Lamarck, ao sobrenatural e a "Deus". Há cem anos era perigoso pensar nessa coisa e havia a impressão de que qualquer tentativa de classificá-las seria errada. Minha impressão pessoal é que a maneira pela qual cada um classifica a herança dos caracteres adquiridos (seria um caso de percepção extrassensorial?) é em grande parte uma questão de gosto. Mas, como toda questão de gosto, ela traz embutida a ameaça de que, entre as várias maneiras de classificar, haja algumas que só levarão ao desastre. Se você quiser considerar erradas essas maneiras de classificar, para mim está bem. Mas, pessoalmente, gostaria de saber mais a respeito do emaranhado mental de que estamos falando, de modo que a palavra "errada", ou a expressão "mau gosto" (ou outra qualquer) adquiram significado na história natural. É isso exatamente o que estou tentando fazer, descobrir, explorar. Assim começo de uma posição que é um pouco mais livre para obter uma visão geral, do que aquela posição da geração anterior.

Da mesma forma, começo de uma posição na qual tenho uma ideia da natureza, daquilo que eu gostaria de chamar de "informação". Ou seja, que este "material" com toda certeza não é apenas uma coisa, e que toda a linguagem do materialismo (por melhor que ela seja para descrever as relações entre as coisas materiais, retratando-as) é muito pobre como uma forma de descrever relações entre as coisas que permita um posterior estudo de sua organização. Em outras palavras, toda a linguagem materialista e mecanicista é inadequada para minha utilização. E eu simplesmente tenho que ter a coragem de descartá-la. Naturalmente, isso quer dizer que em meu mundo, ou universo mental, eu não tomo conhecimento dos objetos, e, obviamente, não há objetos no pensamento. Os neurônios podem ser canais para alguma coisa, mas eles próprios não são elementos dentro do domínio do pensamento, a menos que você concentre seu pensamento neles, o que seria então uma outra coisa. O que temos no pensamento são ideias. Não há porcos, coqueiros, pessoas, livros, alfinetes, ou... vocês me entendem? Não há nada. Há apenas ideias de porcos e coqueiros, de pessoas e seja lá o que for. Apenas ideias, nomes e coisas assim. Isso nos leva a um mundo que é totalmente estranho. Eu me vejo correndo aos gritos na contemplação desse mundo e, inevitavelmente, correndo de volta a um universo de materialismo – o que parece ser o que todos fazem, limitados apenas pela medida de sua disciplina. O que me vejo levado a pedir é: deem-me um quilo, uma pequena massa, uma fração de tempo, um certo comprimento, alguma combinação destas coisas chamadas de energia. Deem-me força, todo o restante dela. Deem-me uma localização, pois não há localização no universo mental. Há apenas sim e não, apenas ideias de ideias, apenas notícias de mensagens; e, basicamente, notícia é notícia de diferenças, ou de uma diferença entre diferenças, e assim por diante. O que está perpetuamente acontecendo nos trabalhos dos filósofos mais eruditos, bem como naqueles de pessoas como eu, é uma volta vertiginosa a expressões, estilos e conceitos do materialismo mecânico, para fugir da aparente pobreza do universo mental.

Vejam, agora, que ao nos desfazermos dos nossos instrumentos de explanação favoritos, uma grande parte desse material conhecido, do qual somos profundamente dependentes, vai por água abaixo; e eu diria: ainda bem! Vale lembrar, por exemplo, a separação entre Deus e sua criação: esse tipo de coisa não existe mais. Também, a separação entre a mente e a matéria: não seremos mais incomodados por isso, a não ser para examinar com certa curiosidade, como uma ideia monstruosa que quase nos matou. E assim por diante.

Acho que já é tempo de ocupar meu universo mental com alguma mobília. Até aqui, tudo o que temos é a ideia de que ele está forrado de ideias, mensagens e notícias e que aquele filtro intangível que se coloca entre o mundo material e mecânico e o mundo do processo mental é simplesmente este filtro de diferença. Que, enquanto cinco quilos de aveia são reais, no sentido do materialismo, a proporção (e eu repito a palavra proporção: não me refiro à diferença subtrativa – ao contraste, sim, se preferirem) entre dois quilos e meio e cinco quilos não é um ingrediente do mundo material. Ela não tem massa, não tem nenhuma outra característica física – é apenas uma ideia. E sempre há esta primeira derivação entre o mundo mecânico e o mundo do processo mental. Por volta de 1970, eu me baseei nesta ideia de Alfred Korzybski. Os que estão aqui presentes devem lembrar-se daquele encontro da Lindisfarne, no qual A. M. Young e eu tivemos uma discussão polêmica. Tenho a impressão de que foi um confronto infeliz. Ele estava fazendo uma afirmação muito semelhante a esta e ampliando-a em certos aspectos, o que queria dizer que, segundo eu entendi, ele ia deixar de lado os preceitos das dimensões e de fato todo o modelo lógico na sua compreensão da vida mental. Achei que aquilo seria um erro muito grave: não sei quem estava certo. De qualquer modo, essa é a primeira característica positiva que dei a vocês a propósito do universo mental.

Permitam-me apresentar agora outra família completa de proposições descritivas. Descritivas da epistemologia, a respeito da qual ainda não está bem claro se pertence ao lado mecânico ou ao lado do processo mental. Prefiro este último, mas vamos analisar. Estas são as proposições que há muito tempo Santo Agostinho chamou de Verdades Eternas, das quais meu prezado amigo Warren Mc Culloch gostava bastante – se é possível gostar tanto de algo tão impessoal. As Verdades Eternas de Santo Agostinho eram proposições tais como "três e sete são dez". E ele afirmava que sempre tinham sido dez e sempre seriam dez. É claro que ele não estava interessado nessa divisão entre o mental e o mecânico ou físico de que estou falando. Portanto, até onde eu sei, ele não tocou nisso. Mas, nós estamos interessados nisso. Minha impressão é de que há um contraste entre aquilo a que chamo de quantidade e aquilo a que chamo de padrão. E, nesse contraste, vejo números – pelo menos nas suas formas menores e mais simples – da categoria e natureza do padrão, em vez da natureza da quantidade. Portanto, o número é talvez o mais simples entre todos os padrões. De qualquer modo, Santo Agostinho era um matemático e, em especial, um aritmético. E parece que ele transmitia a impressão de que os números são coisas muito especiais. Uma impressão, é claro, que é familiar à maioria de vocês que tenham se dedicado um pouco à numerologia de Pitágoras e a outros correlatos. Então, os contrastes entre os números são muitíssimo mais complexos do que as simples razões. Suponho que poderíamos dizer que os contrastes – diferença de padrão – entre os números reduzem-se à medida que os números vão ficando maiores, mas não estou certo se os numerologistas concordarão com essa afirmação. O que parece claro é que as diferenças de padrão, pelo menos em números menores, digamos entre três e cinco, são realmente drásticas e constituem os principais critérios taxinômicos na área da biologia. Meu interesse, afinal de contas, é sobre esse campo do padrão, ou número ou processo mental, como um campo biológico. E as criaturas biológicas, plantas e animais, parecem na realidade mais voltadas para números do que para quantidade – embora os números se tornem quantidades, acima de um certo nível quantitativo, um certo tamanho de número, como pude destacar no meu trabalho "Mind and Nature". De modo que uma rosa tem cinco sépalas, cinco pétalas, muitos estames, e assim um gineceu de uma unidade do pistilo baseia-se no número cinco. O contraste entre os quatro lados de um quadrado e os três lados de um triângulo não é: quatro menos três igual a um. Não é nem mesmo a proporção entre quatro e três. São as diferenças elaboradas de padrão e simetria que resultam nos padrões entre os dois números.

Portanto, parece que pelo menos esse assunto dos padrões dos números diz respeito ao universo mental dos organismos. Agora, gostaria de introduzir, nesse universo, um outro componente, o qual reconheço ser bastante surpreendente. Ficou claro, desde há muito tempo, que a lógica é um instrumento dos mais respeitáveis para a descrição dos sistemas lineares de causalidade – se A, depois B, se A e B, então C etc. Nunca ficou totalmente esclarecido se a lógica poderia ser utilizada para a descrição de padrões e eventos biológicos. De fato, está bastante claro que ela é inaplicável, pelo menos na descrição de tais sistemas causais circulares e sistemas recursivos, porque vai gerar paradoxos. Agora, para aquelas que podem ter algum prosseguimento, digamos, com uma correção do sistema linear com o recurso do tempo, você pode concluir o paradoxo de Epimênides com uma afirmação: sim no momento A e se sim no momento A, então não no momento B, e então sim no momento C etc. Mas não creio que as coisas sejam feitas assim na natureza. Quer dizer, você pode seguir tal procedimento em qualquer página do seu caderno de anotações. Mas, outra coisa é afirmar que são as sequências causais lógicas, ou o que quer que seja, que de fato ocorrem nos organismos e sua relação, suas tautologias de embriologia etc. Vocês perceberão que essa solução é bastante improvável.

Por outro lado, há mais uma solução que eu gostaria de apresentar a vocês. Alguém poderia, por favor, escrever no quadro-negro estes dois silogismos lado a lado? O primeiro é um silogismo no modo tradicionalmente chamado de *Bárbara*:[*]

Os homens morrem.
Sócrates é um homem.
Sócrates morrerá.

E creio que o outro silogismo tem um nome um tanto desconceituado, o qual discutiremos em seguida:

A planta morre.
Os homens morrem.
Os homens são plantas.

[*] Tipo de silogismo aristotélico [N.T.].

Obrigado. Agora, estes dois silogismos coexistem em um mundo desconfortável. Um dia desses, na Inglaterra, um crítico chamou minha atenção para o fato de que quase todo o meu pensamento toma a forma do segundo tipo de sequência e que isso seria aceitável se eu fosse um poeta, mas se torna imprecedente para ser usado por um biólogo. Ora, seria interessante que os educadores, ou mesmo outras pessoas, examinassem os vários tipos de silogismos cujos nomes estão agora esquecidos, graças a Deus. E, então, apontassem o "silogismo da planta", como pretendo chamar esse modo, e dissessem: "Esse é ruim, permite vazamentos, não é bom para uso em testes. Não é uma lógica aceitável". E meu crítico disse que essa é a forma de pensar de Gregory Bateson, e nós não estam os convencidos disso. Bem, tenho que concordar que essa é a minha maneira de pensar e não entendi bem o que ele queria dizer com a palavra "convencido". Essa talvez seja uma característica da lógica, mas não de todas as formas de pensamento. Portanto, procurei examinar bem este segundo tipo de silogismo, o qual, por coincidência, tem o nome de "A afirmação do consequente". E de fato me parece que é dessa forma que organizo a maior parte do meu raciocínio, da mesma forma que acho que os poetas organizam o seu. Tenho também a impressão de que ele tinha um outro nome e seu nome era metáfora. Meta-fora. E que, conquanto nem sempre aceitável do ponto de vista da lógica, ele deve ser uma contribuição bastante útil para os princípios da vida. A vida, provavelmente, nem sempre estará interessada em saber o que é logicamente aceitável. Eu ficaria realmente surpreso se ela estivesse.

Agora, com essas questões em mente, dei início à minha busca. Permitam-me dizer que o silogismo "planta" tem uma história bastante interessante. Foi de fato descoberto por um homem chamado E. von Domarus, um psiquiatra holandês, na primeira metade deste século. Ele escreveu um ensaio num livro muito interessante e que deve ser raríssimo hoje em dia: *Language and Thought in Schizophrenia.*[1] Ele afirmava que os esquizofrênicos tendem, de fato, a falar e até a pensar, através de silogismos que apresentam a estrutura geral do silogismo "planta". Ele examinou atentamente a estrutura deste silogismo, e descobriu que difere daquele de Sócrates da seguinte forma: o silogismo de Sócrates identifica-o como membro de uma classe, e o coloca claramente na classe daqueles que vão morrer, ao passo que o silogismo "planta" não está preocupado com a classificação nesses mesmos moldes. O silogismo "planta" está interessado na equação dos predicados, não de classes e sujeitos de sentenças, mas com a identificação dos predicados. Morre – morre, aquele que morre é semelhante àquela outra coisa que morre. Sendo um homem bom e honesto, von Domarus disse que isso era ruim, e era a maneira como os poetas pensavam, era a maneira como os esquizofrênicos pensavam, e nós deveríamos evitá-la. Talvez.

Vocês compreendem, se é verdade que o silogismo "planta" não exige sujeitos como a matéria de sua construção e se é verdade que o silogismo Bárbara (o silogismo de Sócrates) realmente exige sujeitos, então também é verdade que o silogismo Bárbara nunca poderia ser útil em um número biológico, antes da invenção da linguagem e da separação de sujeitos e predicados. Em outras palavras, parece que até 100 mil anos atrás, talvez no máximo 1 milhão de anos, não haviam silogismos do tipo Bárbara no mundo e havia somente aqueles do tipo Bateson, e mesmo assim os organismos sobreviveram sem problemas. Eles conseguiram organizar-se em sua embriologia, para ter dois olhos: um de cada lado do nariz. Conseguiram organizar-se em sua evolução. De modo que havia predicados distribuídos entre cavalos e homens, que os zoólogos hoje chamam de homologia. Ficou evidente que a metáfora não era apenas uma agradável poesia. Não era tampouco uma lógica boa ou má. Mas era de fato a lógica sobre a qual o universo biológico tinha sido construído; a característica principal, o fator agregador deste mundo do processo mental, o qual, de alguma forma, tentei esboçar para vocês.

Bem, espero que tudo isso possa ter trazido algum entretenimento, alguma coisa em que se pensar e espero que tenha ajudado a libertá-los de pensar apenas em termos materiais e lógicos na sintaxe e na terminologia da mecânica, quando vocês estiverem tentando de fato pensar acerca dos seres vivos.

Era o que eu tinha a dizer.

NOTAS

Este ensaio é a transcrição de uma mensagem gravada por Gregory Bateson para a palestra inaugural do encontro anual da Lindisfarne Fellows (Sociedade Lindisfarne dos Amigos da Ciência), em 9 de junho de 1980, em Wheelwright Center, Green Gulch. Foi ditado algumas semanas antes, no Esalen Institute em Big Sur, quando Bateson percebeu que seu precário estado de saúde não lhe permitiria comparecer ao evento. Bateson morreu ao meio-dia de 4 julho de 1980, na casa de hóspedes do San Francisco Zen Center.

1. DOMARUS, E. von. "The Specific Laws of Logic in Schizophrenia". Organizado por Jacob Kasanin na publicação *Language and Throught in Schizophrenia*. Los Angeles: Berteley: University of California Press, 1974.

2

FRANCISCO VARELA

O CAMINHAR FAZ A TRILHA

O grande mar
Deixou-me à deriva,
Ele me conduz como uma folha seca no grande rio,
A terra e o vento me conduzem,
Levaram-me para longe,
E conduzem minha alma em alegria.[1]

À semelhança de uma tocata em fuga que ouvimos ao longe, a transição do lugar em que estamos para aquele aonde vamos é ordenada por umas cordas que tocam, repetidamente, em toda a parte.

O que me comove no poema que escolhi como epígrafe, é a rápida alternância entre o assim chamado interior e o exterior, entre a mente e a natureza, entre o animal e o mineral. Onde encontraremos aqui a valdosa distância entre nós e a natureza. Não há distância, nem mesmo aquela entre uma coisa e sua imagem, o que permite questionar a fidelidade da representação de uma imagem. Portanto, o tema da *fuga* que estou ouvindo, passa por um cartesianismo dividido que visa dar vida a um mundo sem distâncias através de uma inter-definição mútua.

Nestas páginas pretendo deixar claro esse tema no que tange à biologia e a forma pela qual ele exprime alguns problemas fundamentais. Isso é o que entendo como uma "nova biologia". É como um fermento da dinâmica atual da pesquisa biológica. O ensaio introdutório de W. I. Thompson foi semelhante na sua intenção. Eu vou falar aqui como um biólogo pesquisador, e não como um historiador cultural. Permitam-me uma confissão, antes de entrarmos no assunto. Sou um *bigot** em epistemologia. Para mim, a possibilidade de sobreviver dignamente neste planeta, depende da aquisição de uma nova mentalidade. Essa nova mentalidade precisa, entre outras coisas, ser talhada em uma epistemologia radicalmente diferente que irá orientar as atitudes relevantes. Assim sendo, acima de toda a sua intrínseca beleza, os meandros epistemológicos me parecem imprescindíveis. Portanto, gostaria que vocês voltassem sua mente para a mesma direção em que ela se colocaria, se a discussão fosse sobre, digamos, cosmologia animista. Nossas noções sobre a evolução e o cérebro serão tão remotas para nossos netos, como esta cosmologia animista é hoje para nós.

Passo, então, a indicar a estratégia que adotarei para a minha exposição. Primeiro, vou apresentar um rápido esboço dos principais aspectos envolvidos pela utilização de uma metáfora dissimulada como um exercício de raciocínio. Segundo, vou mostrar como esses aspectos corporificam-se nas noções atuais da evolução e suas alterações. Terceiro, vou examinar os conhecimentos sobre o cérebro, utilizando uma perspectiva semelhante. Naturalmente, a escolha dessas duas áreas da biologia não é acidental, pois, a evolução e a cognição são na realidade verso e reverso da mesma moeda conceitual (como Gregory Bateson gostava de nos lembrar). Na quarta e última seção deste trabalho, tenho a certeza de que vocês terão uma nova ótica conceitual, de modo que, quando voltarmos novamente aos aspectos principais, eles serão praticamente redundantes para vocês. Vocês serão capazes de expô-los em sua própria linguagem, para suas próprias finalidades.

Uma rápida análise da Unidade Autônoma: Vou utilizar uma forma simples, mas exata, de expor o que vejo como o fator principal da transição da antiga (meio século) para a nova biologia. Em vez de concentrar maior atenção às unidades heterônomas, as quais se relacionam com seu mundo através da lógica da correspondência, a nova biologia está preocupada com as

---

* Do francês: beato [N.T.].

unidades autônomas, as quais funcionam segundo a lógica da coerência. Assim, o contraste que estou propondo é o seguinte:

Biologia Atual	Unidades heterônomas funcionando pela lógica da correspondência.
Nova Biologia	Unidades autônomas funcionando pela lógica da coerência.

Ora, eu poderia muito bem ter escrito isso na língua dos marcianos, pois essas duas obervações aforísticas estão ligadas demais entre si. Vamos procurar separá-las através de um exercício de raciocínio.[2]

Com os olhos e ouvidos da imaginação, vamos projetar um móbile, com peças delicadas de vidro penduradas, como folhas em galhos, os quais, por sua vez, pendem de outros galhos e assim sucessivamente. Qualquer sopro de vento fará o móbile tilintar e toda a estrutura mudar sua posição, seu ritmo, a torção de seus galhos etc.

É claro que os sons do móbile não são determinados ou orientados pelo vento ou por qualquer leve toque dado por nós. A forma como ele soa está mais ligada aos tipos de configurações estruturais – que ele tiver quando sofrer uma perturbação ou um desequilíbrio. Cada móbile terá timbre e melodia típicos, apropriados à sua constituição. Em outras palavras, é óbvio neste exemplo que, a fim de compreendermos o tipo de som que estamos ouvindo, devemos observar a natureza dos címbalos e não o vento que os atinge.

Mas, vamos levar esta experiência *Gedanken* um pouco mais longe e imaginar agora que toda essa estrutura complexa de folhas e galhos, repleta de pequenos guizos, tenha a faculdade incomum de se mover em bloco pelo teto no qual está pendurada. Digamos que isso pudesse ser conseguido por meio de dispositivos destacáveis, que apenas se fixam por pressão, e que são alternadamente pressurizados e despressurizados. Assim, nesse móbile móvel improvisado, qualquer sopro de vento irá produzir não apenas um tilintar, mas também um movimento em alguma direção.

Não seria uma surpresa se descobríssemos que o móbile móvel inteiro se move com um comportamento sensível em nossa concepção? Por exemplo: toda vez que o vento sopra, o móbile desloca-se até encontrar um lugar com menos intensidade de vento. Ou, ao contrário, ele procura a origem da corrente de ar e assim nos encanta com melodias quase ininterruptas.

Se esse móbile móvel sonoro chegasse a mostrar tal comportamento, concluiríamos que alguém o planejou com uma astuciosa imaginação, de modo que ele pudesse fazer o que faz. Parece absolutamente inconcebível que um móbile pudesse surgir com movimentos inteligentes, contando apenas com um arranjo casual de folhas, galhos e fixadores a pressão.

O objetivo desse exemplo é sugerir que existe uma relativa facilidade para que um certo grau de autoenvolvimento desperte imediatamente no sistema um desejo de autonomia *vis à vis* seu meio ambiente. Quer dizer, o fato de que ele controla o seu meio de acordo com sua estrutura interna torna-se o fenômeno predominante. Se você imaginar o móbile móvel como tendo uma percepção do mundo, então, é claro que a percepção não é um problema que deve fazer parte dele, como uma instrução para um aparelho fabricado pelo homem. A percepção tem mais a ver com a forma como o sistema é montado. E, acima de tudo, com a forma como ele se identifica, no sentido de que o seu próprio emaranhado é a chave para compreender o que vai acontecer com ele.

O segundo objetivo do exemplo é mostrar que, caso surgisse um comportamento aparentemente sensível, tentar-se-ia dizer que isso foi, de alguma forma, projetado. Vamos examinar mais atentamente esse ponto, introduzindo a última complicação em nosso exercício de raciocínio. Asseguro a vocês, neste momento, que não houve qualquer projeto prévio, no caso deste móbile ambulante que exibe esse interessante comportamento. Na realidade, a configuração estrutural que mostra um padrão de comportamento tão interessante foi obtida por um mero processo de ensaio e erro, um tipo de soldagem que ajuste os galhos e as ligações com os fixadores a pressão. O que devemos dizer, então?

A explicação tradicional da situação seria a de que o sistema tem algum grau de representação interna do ambiente físico? Assim ele sabe como reagir ao vento. Ele tem a habilidade de corresponder ao mundo, através do reflexo espelhado de algumas das qualidades desse mesmo mundo. O móbile móvel tornou-se um sistema de representação, quer dizer, um agrupamento ativo de estruturas de atualização autônoma capaz de "espelhar" o mundo à medida que ele se transforma. Ora, se houvesse um engenheiro que tivesse, realmente, descoberto como montar as partes de forma a produzir esse comportamento, essa descrição teria sido adequada. Mas, *ex-hypothe*sis, o sistema surgiu de uma mera soldagem e não de um projeto. Como, então, devemos abordar essa situação? Precisamos de uma guinada súbita, mas enérgica: enfatizamos a coerência do sistema em vez de assumir a perspectiva de um suposto projeto. Em outras palavras, entendemos o sistema como sendo o tipo cognitivo autônomo: um agrupamento de estruturas ativo e autorregulável, capaz de informar seu meio ambiente dentro de um universo e através de um histórico de ligação estrutural com ele.

Temos, então, dois modos alternativos de descrição. Um deles pressupõe o espelho ou a representação de figuras, que são relevantes e visíveis a nós, enquanto observadores e, requer, de alguma forma, um agente que planeje, porque ele exige uma perspectiva através da qual esta correspondência do mundo com as entranhas do sistema seja estabelecida *expro-fesso*. A segunda perspectiva é mais parcimoniosa. Ela afirma que, dentre as muitas formas de soldagem, especialmente aquela por nós observada, permite-nos vislumbrar o mundo do sistema, quer dizer, a forma pela qual ele tem mantido um histórico contínuo de ligação com seu meio, sem se desintegrar. Não há uma ação de espelhar, mas informar. A primeira descrição apoia-se numa lógica de correspondência; a outra, numa lógica de coerência.

Há algo mais do que os olhos podem ver nessa experiência *Gedanken*. Ela realmente evidencia uma mudança de atitude e estrutura que tem implicações ramificadas, como veremos em seguida. As razões para isso são simples. Nós mudamos o nosso ponto de vista de uma unidade comandada externamente com um ambiente independente ligado a um observador privilegiado, para uma unidade autônoma com um ambiente cujos traços são inseparáveis do histórico de ligação com aquela unidade e, portanto, sem perspectiva privilegiada. Ao fazer isso, estamos também procurando decifrar um mecanismo pelo qual os processos cognitivos possam ser compreendidos e construídos. Um mecanismo pelo qual as unidades possam dotar um universo com um sentido, sua estrutura e histórico de interações.

Uma descrição pela correspondência é essencial para unidades tais como computadores e máquinas de lavar roupa (até que elas se quebrem). Mas ela mostra ser uma estrutura um tanto limitada para utilizar-se quando se trata da vida e da mente (quer dizer, para quase tudo). Vamos voltar agora para o que essa estrutura pode fazer para a nossa compreensão da evolução e do cérebro.

Um caminho de ida e volta pelo Programa Adaptacionista

Pense por um momento na cena do bar do filme *Guerra nas Estrelas;* procure lembrar-se daqueles seres que aparecem ali e vamos examiná-los com os olhos de um zoólogo. A observação mais óbvia é que eles são essencialmente de um só tipo: vertebrados. Há variedades primitivas de aparência dermatológica – tipo de pele, formato dos olhos – mas eles ostentam postura ereta e a maioria parece ter sangue quente. A forma como uma cultura concebe seres imaginários é uma indicação evidente de sua concepção da vida, porque esta última estabelece os limites do que é imaginável. Nos textos de zoologia do século XVII, ao lado de águias e aves domésticas, podemos encontrar formas humanas ostentando cabeças de pássaros. Tudo era aceito como parte da mesma natureza.[3] No cenário da zoologia imaginária de *Guerra nas Estrelas,* no século XX, não vemos nada semelhante: a unidade é o princípio indicador essencial.

O objetivo desta digressão é apresentar a ideia de que em nossa cultura como um todo – incluindo a ciência – nós nos vemos como a melhor e única forma possível de seres inteligentes. Nós viemos de origens modestas, através de uma trilha direta de otimização, em uma evolução controlada pela seleção natural. Quais são as raízes biológicas dessa interpretação aceita por todos? A resposta para esta questão está nas características principais do pensamento evolutivo nos últimos cinquenta anos, o que de fato não é difícil de determinar:

a busca de mecanismos favoráveis de adaptação ao mundo. Deixem-me explicar.

Em linhas gerais, esse conceito assume que, através de sua história, as espécies e as comunidades tornaram-se favoravelmente adaptáveis aos seus nichos. A tarefa do evolucionista é descobrir as formas exatas pelas quais esse processo ocorreu. Não é uma questão de "se", mas de "como". A seleção natural é vista como a luta entre um inventor engenhoso ou um jogador esperto no jogo da vida contra o meio ambiente (sem assumir mais finalidade externa, é claro). A busca por esta otimização se faz, mais comumente, isolando-se um traço específico da morfologia, fisiologia ou comportamento, e então descobrindo-se o que deve ser otimizado e como conseguir isso. Por exemplo: alguém mostra que a forma dos cílios nos protozoários apresenta-se de maneira a indicar que eles se encontram no nível hidrodinâmico considerado ótimo. (Isso às vezes produz alguns enigmas, quando não há uma característica comprovada no mundo para servir de base. Para que serviam as grandes placas nos dinossauros?)

Há uma outra corrente de pesquisa na biologia da evolução, que parte de um ponto de vista totalmente diferente, mas termina exatamente no mesmo lugar. É o estudo da genética das populações. A tese, nesta corrente, é produzir uma descrição dos dotes genéticos de comunidades com base nos padrões reprodutivos e na distribuição geográfica. O objetivo é prever a proporção e direção da mudança das combinações genéticas. O ponto de vista básico ainda é o mesmo: as equações que determinam a dinâmica genética devem ter uma solução otimizada que maximize a aptidão.

Tem havido muita discussão, tanto no domínio da ciência quanto nas publicações científicas populares, acerca da maneira como essa visão "clássica" da evolução foi duramente criticada. Minha opinião, entretanto, é de que a maior parte dessas discussões não leva em conta a real profundidade com que as revisões têm reduzido o pensamento evolutivo da biologia contemporânea.

A otimização é o cerne do problema. De fato, seja em nível do genótipo ou do fenótipo, a abordagem clássica apenas considera os traços separados os quais, provavelmente, passam por aperfeiçoamentos progressivos em sua aptidão. Mas, todo biólogo além disso sabe que os genes são tão intimamente ligados entre si quanto os órgãos do corpo, e não podem ser considerados separadamente. Além disso, o genótipo e o fenótipo são mutuamente interdependentes: um especifica as espécies moleculares; o outro especifica qual das espécies moleculares é representada. (Neste sentido, falar de um "programa" genético para uma determinada espécie é, na melhor das hipóteses, ilusório.) Procurar uma linha de otimização em traços isolados, dado esse grau de especificação mútua, é dizer que alguém tenta limitar o mais possível essa inter-relação, esperando pelo melhor. E o melhor, normalmente, manifesta-se como algum tipo de intercâmbio ou compromisso entre os traços característicos. Porém, até mesmo isso é muito frágil. Na realidade, a busca pela otimização dos traços tem falhado na produção dos mecanismos básicos de explicar os fenômenos evolutivos mais importantes, seja em nível genético ou nas alterações morfológicas, Essa falha tem sido documentada em várias discussões críticas.[4]

A confiança na "adaptação ótima" não é a única maneira para compreender a evolução orgânica, e as alternativas são bastante naturais. Mas precisamos afastar-nos da estrutura clássica para entender que a seleção natural nunca teve como objetivo um *otimização* de característica por característica. Ela exprime, em vez disso, condições mínimas, as quais serão satisfeitas sob as circunstâncias da reprodução diferencial entre os membros de uma população. Isso equivale a estabelecer limites mais amplos, dentro dos quais muitos caminhos podem ser seguidos, à semelhança de uma lei proscritiva (o que não é proibido é permitido). Mas essa é uma posição muito distante de uma lei prescritiva (o que não é permitido é proibido). Aqui estão duas ilustrações concretas do que isso significa:

a) A seleção natural não leva, necessariamente, a um aperfeiçoamento constante de algum traço característico. Em nível genético isto também é verdade: as interações genéticas não conduzem a combinações múltiplas com outros genes, os quais são todos fenotipicamente equivalentes na seleção natural. Por exemplo, é possível encontrar entre as salamandras uma notável constância morfológica, a qual, todavia, é mediada através de diferentes combinações genéticas.[5]

b) A manifestação de alteração genética em uma população é uma manifestação, em grau bastante significativo, de uma coerência do próprio organismo, muito mais do que um processo de seleção. De fato, as alterações genéticas irão, inevitavelmente, romper os procedimentos estáveis do desenvolvimento embriológico. Mas este é um processo tão delicado e complexo que um rompimento isolado é muito menos possível do que alterações radicais que resultam em fenótipos radicalmente diferentes. Entre outras coisas, isso é o que se coloca sob o aparente "equilíbrio pontuado" que tão bem descreve o registro de fósseis dos invertebrados marinhos, por exemplo. As espécies permanecem por muito tempo em êxtase evolutivo. E, quando mudam, o fazem não de uma forma gradualista, mas por meio de saltos repentinos.[6]

Estas duas dimensões, igualmente importantes da alteração evolutiva, deveriam ser suficientes para mostrar que a evolução não estará corretamente caracterizada, se a descrevermos como um processo pelo qual os organismos se aperfeiçoam na adaptação. Ao contrário, elas permitem nos dizer que há muitas formas de mudanças, as quais são viáveis se houver uma linhagem ininterrupta de organismo. Não é uma questão de sobrevivência do mais apto; é uma questão de sobrevivência da adaptação. Não é a otimização do ponto central, mas a preservação da adaptação: um traçado de mudanças estruturais de uma linhagem que seja congruente com as mudanças em seu meio ambiente. Nós chamamos de curso natural essa ótica da evolução centrada na preservação da adaptação como uma condição mínima.[7]

Ao passar de uma ótica adaptacionista para uma compreensao da evolução como um curso natural, nós também passamos de uma lógica de correspondência para a uma lógica de coerência. Abandonamos a ideia de uma natureza-espelho, em termos adaptativos, em troca de uma posição de utilizar-se tudo o que estiver ao alcance.

Um caminho de ida e volta pelo Programa Representacionista

A essa altura, as ideias que estou tentando transmitir devem estar tomando forma para vocês. Portanto, podemos apressar o passo nesta caminhada através de uma paisagem conceptual semelhante àquela das ciências do cérebro. Numa rápida definição: o adaptacionismo está para a biologia evolutiva da mesma forma que o representacionismo está para a neurociência.

Imagine por um momento um televisor preto e branco, colocado em sua sala. Tente ver a cor da tela: é cinza. Agora, imagine que você liga o aparelho para ver as imagens. Elas não serão somente cinza, mas também pretas e brancas. Aprendemos nos livros que nós vemos preto quando não há luz, branco quando a luz é intensa, e cinza quando há o meio termo. Mas quando o televisor está desligado não pode produzir o brilho na tela por meio de seus raios eletrônicos. Assim sendo, deveríamos ver a tela completamente preta. Ao contrário, quando o aparelho está ligado, mesmo que esteja fraco, não deveria haver menos iluminação do que quando desligado. E, no entanto, todos nós vamos concordar, plenamente, que vemos a cor preta quando ele está ligado.

Neste simples exemplo temos uma demonstração sintetizada da maneira de pensar que predominou na neurociência nos últimos cinquenta anos. A ideia é a de que o mundo tem algumas características específicas (como a luz), as quais têm uma imagem interna correspondente, através de algum mecanismo de "espelho" (como o olho) que produz uma percepção (neste caso, o brilho). Uma característica do mundo exterior corresponde a uma representação no sistema. E essa é a chave para a atividade adaptativa no mundo.

As raízes desse modo de pensar na neurobiologia são muito menos explicáveis do que as da biologia evolutiva. Por um lado, parece ter havido uma influência significativa das novas disciplinas de engenharia do início da década de 1940. Os aparelhos cada vez mais sofisticados, criados pelo homem, foram projetados para lidar com formas específicas de informações classificáveis e se mostraram perfeitos nisso. Assim, nada havia que poupasse o cérebro de se tornar um mero coletor de informações de carne e osso. Com o advento dos computadores, a metáfora da engenharia foi solidamente fortalecida e tornou-se aceita por todos. Por outro lado, a própria neurobiologia começou a descrever os órgãos dos sentidos como verdadeiros filtros destinados a detectar as configurações específicas no meio ambiente do organismo. Numa acepção extrema, essa acabou sendo a doutrina da percepção sensorial por uma célula única,[8] a qual, embora extrema, não está muito longe da sensibilidade da maioria dos pesquisadores contemporâneos. Segundo esta doutrina, não apenas os itens perceptivos, mas também as habilidades motoras e cognitivas estão codificadas em tipos específicos de neurônios que respondem por esses desempenhos.

Da mesma forma que o adaptacionismo, a metáfora do cérebro como computador, que temos a tendência de aceitar sem discussão, nada mais é que uma abordagem viável mas, como tal, infestada de problemas. Vamos voltar ao exemplo do televisor para ilustrar minha sugestão alternativa.

É evidente neste caso que a cor preta não é simplesmente "representada" internamente para corresponder a um determinado teor de intensidade de luz. O que acontece então? Uma resposta interessante é a de que a percepção da cor preta está relacionada a atividades em toda a retina. Quando há imagens na tela do televisor, há alterações na proporção dessas atividades, o que não acontece com a tela uniforme do aparelho desligado. Em outras palavras, a percepção da cor preta não pode ser estudada em termos de luz incidindo sobre a retina (considerando que vamos ver a cor preta, qualquer que seja o nível de iluminação), mas, sim, em termos do tipo de construção deste componente do sistema nervoso, de modo que se possam fazer algumas comparações específicas entre células receptoras da luz (entre muitas outras comparações inimagináveis). Essas comparações estabelecem níveis de atividade relativa que estão intimamente ligadas à maneira como a claridade é percebida por nós.[9]

Ora, a retina é apenas uma porção minúscula do sistema nervoso, o qual apresenta em toda a sua extensão a mesma característica de ligações múltiplas em rede, de modo que cada estado de atividade neural somente resulta em outro estado de atividade neural. E cada um desses estados depende, em última instância, do padrão geral de todo o cérebro. Para tomar tudo isso um pouco mais concreto, vamos observar o que acontece com as fibras que chegam ao cérebro através da retina:

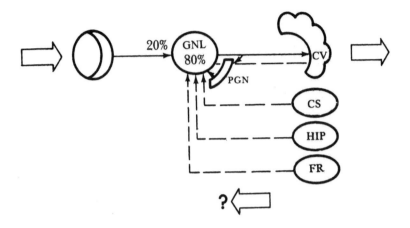

A retina faz projeções para vários pontos do cérebro, incluindo o tálamo em um núcleo chamado geniculado lateral (GNL). O GNL é geralmente descrito como um ponto de "relé" para o córtex. Entretanto, um exame mais atento mostra que a maior parte do que os neurônios do GNL recebem não vem da retina (menos de 20%), mas (sim) de outros centros do interior do cérebro, incluindo o córtex visual (CV), o colículo superior (CS), o hipotálamo (HIP) e a formação reticular (FR).

O que atinge o cérebro, vindo da retina, é apenas uma leve perturbação em meio a um zunido contínuo de atividade interna, e que pode ser modulada – neste caso, em nível do tálamo – mas não orientada. Esse é o ponto-chave. Para se compreender os processos neurais, de um ponto de vista não representacionista, basta apenas notar que qualquer perturbação proveniente do meio ambiente será registrada conforme as coerências internas do sistema. Tais perturbações não podem atuar como "informações" a serem processadas. Ao contrário, dizemos que o sistema nervoso tem um "fechamento operacional", porque ele se baseia, essencialmente, sobre coerências internas capazes de especificar um universo relevante.

As diferenças entre o adaptacionismo e o "fechamento operacional" não são meras curiosidades filosóficas; envolvem diferenças como estratégias de pesquisa. Nas últimas décadas, a preferência tem recaído sobre detectores que contenham características adaptativas especiais. A alternativa é pesquisar mecanismos cooperativos que possam exprimir as coerências neurais. Não nos cabe aqui o aprofundamento das questões levantadas.[10]

Gostaria de encerrar esta discussão lembrando que não havia nada, nos primeiros tempos da moderna neurociência, que desse a impressão de que ela ficaria fascinada pelo representacionismo. Um exemplo bastante claro disto é a seguinte citação de uma importante publicação científica dos idos de 1957:

> Nesta atividade – sensoriomotor e ... *ad infinitum* encontramos um padrão cíclico, como o girar da roda ... Na investigação da atividade dos nervos, o fisiólogo faz anotações de sua atividade nas bordas dos aros das rodas. Tão fascinante é o processo de anotar ... que o próprio circuito é esquecido ... Como consequência dessa tendência despercebida, temos a estrutura científica de "localização" e "representação" de funções no sistema nervoso...[11]

Esses avisos de alerta foram perdidos e a lógica da correspondência, finalmente, venceu a batalha.

Unidade Autônoma e Curso Natural

Vamos afastar-nos um pouco destes dois rápidos exames do pensamento evolutivo e da ciência do cérebro e observá-los como peças ajustadas de um padrão comum, contra o qual emerge uma nova estrutura conceptual. Posso agora estabelecer as bases de uma "nova" biologia, em termos das noções principais apresentadas acima. Essas bases podem ser estabelecidas em função de duas mudanças cruciais na ênfase a ser dada.

A primeira é colocar a ênfase na forma como as unidades autônomas operam. Aqui, autonomia significa que a unidade descrita (seja ela uma célula, um sistema nervoso, um organismo ou um móbile oscilante) é estudada segundo a perspectiva da forma pela qual ela se destaca do cenário de fundo através de suas ligações internas. Tal cooperação de organismos auto-organizadores pode tornar-se bastante explícita e, em alguns casos, a pesquisa está apenas começando.[12]

A segunda mudança é colocar a ênfase na forma como as unidades autônomas se transformam. A transformação quer dizer que o curso natural torna-se possível devido à plasticidade da estrutura da unidade. Neste curso, a adaptação é uma invariável. Muitos traços de mudança são potencialmente possíveis e a seleção de um deles será feita em função do tipo específico de coerência estrutural que a unidade apresenta, em um processo de emendas ininterrupto. O curso natural aplica-se à evolução filogenética, da mesma forma que ao aprendizado, dependendo da unidade em questão (um cérebro em um caso; uma população no outro).

Já tive a oportunidade de apresentar algumas considerações sobre essas ideias no que diz respeito ao campo do cérebro e da evolução; naturalmente, eles podem ser postos em prática em outros campos, tais como a imunobiologia e a inteligência artificial.[13]

Embora eu os tenha descrito separadamente, a anatomia e o curso natural se complementam. Eles são as duas linhas básicas da fuga que eu ouço ao fundo. Se me permitem, vou retratá-las, graficamente, na relação com os pares de opostos em que a visão clássica está baseada:

MEIO-TERMO: NÍVEL META

	Visão dominante	Seu oposto lógico
Epistemologia	eternalismo objetivismo	niilismo subjetivismo
Evolução	adaptacionaismo	criacionismo
Neurociência	representacionismo	solipsismo
Unidades autônomas e curso natural: coemergência das unidades e seu mundo.		

Minha proposta é que nesta mudança de ótica conceitual precisamos encontrar o equilíbrio entre estes opostos lógicos. Não é uma forma de compromisso e sim uma posição além do conflito, através de um salto para um nível meta.

Tenho a firme convicção de que é importante esse tipo de estrutura em biologia. Porque, como eu disse no início, ela se torna um debate científico interessante e também porque a biologia é a origem de muitas metáforas no pensamento atual. E no âmbito da biologia se expressa a viabilidade de uma visão do mundo para além da ruptura que nos separa. Uma visão na qual o conhecimento e o seu universo são tão inseparáveis quanto a percepção e a ação. Nesta visão do meio-termo, o que fazemos é o que conhecemos e o nosso mundo é apenas um entre os muitos existentes. Não é um espelho refletindo O mundo, mas o delineamento de um mundo sem guerra entre o ser e o outro. Na realidade, este poema de Antônio Machado diz tudo isso de uma forma muito mais clara:

"Andarilho, o caminho é feito de seus passos, nada mais;/ andarilho, não há um caminho, você faz o caminho ao caminhar. Ao caminhar você faz o caminho/ E ao olhar para trás, você verá um caminho sem retorno. / Andarilho, não há nenhum caminho, apenas trilhas nas ondas do mar."[14]

NOTAS

É com prazer que expresso minha gratidão à The Lindisfarne Association e seus associados especialmente, ao seu diretor William Irwin Thompson, por proporcionarem durante tantos anos uma atmosfera criativa onde nossas ideias e preocupações têm sido forjadas. Desejo, também, agradecer o auxílio financeiro da W. Woods – Prince Trust Fund.

1. Poema de uma samaneus esquimó citado por Rasmussem em Robert Blay, *News of the Universe*. San Francisco: Sierra Club Books, 1982. p. 257.
2. Este exercício mental é inspirado na discussão proposta por D. Hofstaedter e D. Dennett em *The Mind's Eye*. New York: Baste Books, [?], p. 191.
3. Ver, por exemplo, JACOB, F. *Lejeu des possibles*. Paris: Fayard, 1982.
4. Os trabalhos mais relevantes para a discussão apresentados são: GOULD, J. e LEWONTIN, R. *Proc. Roy. Soe.* (B) 205:581,1979; LEWONTIN, R. *Reb. Sci*24:5, 1979; GOULD, S. *Science* 216:380, 1982; e, especialmente, a proposta fundamental de G. Oster e S. Rocklin acerca da otimiza-

ção em *Lectures Notes in the Life Sciences.* Providence, R.I., American Mathematical Society, 1979, v. II, p. 21.

5. Ver, por exemplo, D. Wake, G. Roth, and M. Wake, "On the Problem of Stasis in Organismal Evolution," *J. Theor. Biol.* 54:123-134.

6. Ver STANLEY, S. *Macroevolution.* San Francisco: Freeman, 1979; BONNER, J., *Evolution and Development.* Berlin: Springer Verlag. 1980.

7. MATURANA, H. e VARELA, F. "Evolution Natural Drift." *The Tree of Knowledge.* Boston: New Science Library, 1987.

8. BARLOW, H. *Perception* 1:137, 1972.

9. MARR, D. *Vis. Res.* 14:1377,1974; LANDE. and McCANN J., *J. Oat. Soe. Amer.* 61:1, 1971.

10. Para uma discussão mais profunda sobre a visão esboçada acerca do sistema nervoso, ver MATURANA, H.; VARELA, F. *Autopoesis and Cognition.* Boston: D. Reidel, 1980; VARELA F., *Principles of Biological Autonomy.* New York: North Holland, 1979.

11. GOODY, R. The *Lancet,* Sept., 1957.

12. Para aprofundar o tema, ver F. Varela, *Principies of Biological Autonomy;* In:_____. "Self-organization" in *L'Autorganization,* Colloque de Cerisy. Paris: Edition de Seuil, 1983.

13. Para o caso da imunologia, ver N. Vaz e F. Varela, *Medical Hypothesis;* ver F. Flores e T. Winnograd, *Understanding Cognition as Understanding.* New Jersey: Ablex Press, 1986.

14. Poema de A. Machado em *Proverbios y Cantares,* 1930.

3

HUMBERTO MATURANA

O QUE SE OBSERVA DEPENDE DO OBSERVADOR

Em primeiro lugar, antes de chegar ao que desejo falar sobre cognição, preciso lembrar que não estou procurando uma norma explicativa. Em parte, porque acho que as normas não funcionam, e que sempre que alguém tem uma norma explicativa, essa pessoa inventa um mecanismo para dissimular aquilo que quer expor. Portanto, o que eu me proponho a fazer é especificar um problema e especificar também o que eu entendo por explicação. Então vou discutir, do meu ponto de vista, uma forma de tratar o problema. De certo modo, estou pedindo a vocês que aceitem como um problema aquilo que vou propor como tal. E, finalmente, que aceitem como uma resposta aquilo que vou propor como uma resposta. Mas estou sendo explícito e, para deixar claro que estou sendo explícito, vou escrever aqui em itálico:

O que se observa depende do observador.

E, ao lado da frase, vou desenhar um olho.
Ora, o que é um problema? Quero pensar sobre cognição. Assim sendo, o problema é compreender qual é o problema em cognição. Acho que sempre que queremos saber se alguém sabe ou não sabe algo sobre alguma coisa, nós lhe fazemos uma pergunta. E a pergunta vai exigir que essa pessoa faça alguma coisa. Se você quiser saber se uma pessoa

conhece arquitetura, você deve perguntar de que forma ela construiria um prédio e como faria para dotar esse prédio de determinadas características. Se a pessoa demonstrar como se conseguiria fazer essas coisas, de uma forma que seja satisfatória, então poder-se-ia dizer que ela conhece arquitetura. A mesma coisa se aplica à biologia, física, budismo ou qualquer outro tipo de religião, ou a qualquer coisa. Portanto, o problema é identificar uma conduta adequada. O que constitui uma conduta adequada, quer dizer, uma conduta que o indagador aceitará como adequada?

Vamos supor que eu pergunte a uma pessoa se ela conhece biologia, e ela diz: "Sim, conheço biologia; sou especialista em tais e tais coisas". Em seguida, faço uma pergunta à qual ela responde dizendo ou fazendo alguma coisa que eu reconheço como uma conduta adequada naquele campo do conhecimento. Então, posso dizer que ela domina aquela área do saber. E parece que é assim que sempre se faz. Na realidade, não temos nenhum outro meio de avaliar o conhecimento. Consequentemente, considero que uma "conduta adequada deva ser vista" como uma expressão do conhecimento. Por isso, se o meu problema for a própria cognição, ou o conhecimento, e reconheço o conhecimento através de uma conduta adequada, meu problema passará a ser como identificar a conduta adequada, ou mostrar de que modo ela deve se manifestar.

O que, então, seria uma explicação? Geralmente, sempre que você faz uma pergunta – pede a alguém que explique alguma coisa – espera que essa pessoa apresente uma resposta que seja satisfatória. O que quer dizer satisfatória? Quer dizer que você não continua indagando. Quando uma criança chega até sua mãe e pergunta: "De onde eu vim?", a mãe dá uma explicação. Ora, essas explicações dadas por uma mãe têm mudado através da história. Quando eu era menino, as mães costumavam falar de abelhas e flores e coisas desse tipo, e as crianças saíam para brincar completamente satisfeitas – até o dia seguinte. Aquela era uma explicação satisfatória, pelo menos até o dia seguinte, até que a mesma ou uma nova pergunta surgisse, porque a explicação antes dada não era mais eficiente. Assim o ouvinte, agora o indagador, é aquele que decide o que será uma explicação, ou seja, o que vai satisfazer sua curiosidade? Isto quer dizer que, se vou falar sobre cognição, devo apresentar uma explicação que se identifique com um conhecimento adequado e devo ser bastante claro a respeito do que vou aceitar como uma explicação.

Ora, sou um biólogo, um cientista, e, portanto, só vou aceitar uma explicação que seja científica. Mas, o que é uma explicação científica? Geralmente, as pessoas acham que as explicações científicas estão relacionadas com a previsibilidade, ou seja, que as respostas ou proposições que nos permitem predizer o futuro são explicações científicas. Mas, na minha opinião, as coisas não são assim. As explicações científicas nada têm a ver com previsibilidade; a previsibilidade pode estar presente, mas não é o ponto central. O ponto central de uma explicação científica é a proposta de um mecanismo. Você tem uma pergunta, por exemplo: como um cavalo se movimenta? O movimento de um cavalo inclui o trotar, e você quer uma explicação a respeito. A explicação científica seria uma descrição que implicasse várias coisas, mas teria que conter uma descrição do mecanismo que dá origem aos movimentos do cavalo. Se quiser explicar o relâmpago. Esse mecanismo será apresentado com base em certas ideias que você tem a respeito de nuvens, fricção, cargas eletrostáticas e coisas do gênero. Mas o que você está realmente propondo como ideia central é um mecanismo que provoca o fenômeno que você quer explicar. Primeiro, você observa o fenômeno que quer explicar (e que é a razão da pergunta); segundo, você tem que apresentar o mecanismo. Não haverá explicação científica se você não propuser um mecanismo. Mas isso por si só não é suficiente. O que é igualmente necessário para tornar científica a explicação – e é aqui que a questão da previsibilidade aparece – é que o mecanismo proposto origina não somente o fenômeno que você quer esclarecer, mas também outros fenômenos que você venha a observar.

Um requisito para uma explicação científica é que se leve em consideração outros fenômenos observados. Isso ocorre porque os cientistas afirmam que aquilo que eles dizem tem algo a ver com o mundo em que vivemos e os fenômenos que querem esclarecer são os fenômenos do universo. Eles afirmam que as proposições por eles formuladas têm uma estreita relação com os mecanismos que geram os fenômenos, porque existe um certo isomorfismo, uma certa correspondência de estrutura entre os mecanismos propostos e os mecanismos no mundo que geram o fenômeno que eles querem esclarecer. Mas desde que uma pessoa possa inventar vários mecanismos possíveis para originar um determinado fenômeno, o cientista deve escolher, dentre as opções, uma na qual ele tenha mais confiança, ou seja, que parece guardar alguma relação com o mundo em que vivemos. Essa é a razão pela qual ele procura algum outro fenômeno, que será gerado pelo seu mecanismo explanatório e que pertence ao mesmo campo do fenômeno que ele deseja esclarecer.

Assim sendo, como um cientista, proponho um mecanismo. Digo: "Ah! Este mecanismo origina este fenômeno". Naturalmente, propus o mecanismo especificamente porque ele irá gerar o fenômeno que constitui minha questão. Mas então olho para esse mecanismo e percebo que ele também pode originar algum outro fenômeno. Por exemplo, o fenômeno A, o qual é diferente daquele que estou explicando. Quer dizer, um outro fenômeno pode ocorrer no mesmo campo em que ocorrer aquele que estou explicando. Por isso, olho a minha volta e, se localizar esse outro fenômeno, posso dizer: "Ah! Minha explicação foi confirmada, e minha hipótese também. Esta é uma explicação científica". E assim é. Nem mais nem menos. Por quanto tempo essa explicação deve continuar sendo considerada válida? Até que eu encontre outros fenômenos que não sejam originados por ela. Naquele momento devo aceitar que minha explicação não é mais uma explicação científica. Tenho que deixá-la de lado e inventar um novo mecanismo que irá originar os fenômenos anteriores e também alguns outros no mesmo campo (o que me parece importante), mas que não estão sendo originados pelo mecanismo inicial. Portanto, se estou interessado numa explicação científica de cognição, devo prover um mecanismo que irá originar a conduta adequada – animal e humana – bem como outros fenômenos que posso observar no mesmo campo. Se conseguir fazer isso, então, segundo todos os padrões científicos, terei chegado a uma explicação científica do fenômeno da cognição – se vocês concordarem que o fenômeno de cognição é compreendido de forma correta através da colocação do problema em termos de conduta adequada.

Meu próximo passo, então, será mostrar como a conduta adequada se manifesta em qualquer sistema. Isso é possível desde que tenhamos uma linguagem apropriada para fazê-lo. Primeiro, vou fazer alguns esclarecimentos. Uma entidade, qualquer coisa que possamos distinguir de alguma maneira, é uma unidade. Como podemos distinguir essa unidade? Há muitas maneiras. Por exemplo: eu poderia apenas isolá-la para estabelecer uma distinção concreta. Ou, então, estabelecer uma distinção conceitual, em termos de especificar um determinado procedimento, que irá destacar esta unidade de seu cenário, identificado ao mesmo tempo em que é feita a distinção. Quer dizer, quando afirmo que determinada coisa é uma unidade, estou também especificando todo o resto do cenário. Isso é o que fazemos continuamente. Se perguntasse a vocês quantas almofadas existem numa determinada sala, vocês iriam contá-las. E, ao efetuar a contagem, estariam distinguindo o que são almofadas – executando a operação de distinção que envolve esses objetos dentro de um cenário. Vocês podem concordar ou discordar em relação a outra pessoa que esteja contando. Mas, se vocês discordarem, isso quer dizer que ambos estão utilizando métodos diferentes de distinção. Vocês estão distinguindo coisas diferentes. Mas, se vocês concordarem, se tiverem os mesmos métodos de distinção, irão chegar ao mesmo número de almofadas, ou cadeiras, ou lâmpadas, ou qualquer outra coisa – pessoas, cachorros, pulgas, seja lá o que for. Quando eu ainda estudava na Universidade Harward, tive a honra de ser o único aluno no curso sobre artrópodes que conhecia pessoalmente pulgas, carrapatos e todo o tipo de parasitas. Foi muito interessante. Eu era o único capaz de fazer aquelas distinções.

Um segundo esclarecimento é que podemos distinguir, e realmente distinguimos, dois tipos de unidades – as simples e as compostas. Todas as vezes que distinguimos alguma coisa como um todo e não a decompomos em partes, nós a estamos distinguindo como uma unidade simples. Numa acepção ideal, a palavra "átomo" quer dizer exatamente isso. Se eu distinguir meu relógio como uma unidade simples, então ele é um relógio atômico, se assim preferirem. E, a unidade simples, no momento em que vocês a distinguem, é especificada em termos de certas propriedades para os efeitos dessa distinção. O procedimento de distinção especifica ou indica as propriedades que caracterizam a unidade simples. Mas, também, distinguimos unidades compostas. Dizemos que o relógio é constituído de tantas partes, coisas que podem ser separadas. Na realidade, o átomo foi um átomo por muitos e muitos anos, até que a descoberta da radiação permitiu que fosse decomposto e, então, ele deixou de ser um átomo. Continuamos chamando-o de átomo, mas verificou-se que havia meios de tratar o átomo como uma unidade composta ou uma entidade composta.

Ora, quando a unidade distinguida é simples, a tarefa é simples. Especificam-se as propriedades e isso é suficiente. Mas quando a unidade distinguida é composta, há um problema com os componentes, com as suas relações. Há um problema de composição – como são montadas as partes? Aqui faço uma distinção que se aplica somente a unidades compostas. Costumo distinguir duas características de unidades compostas e posso afirmar que todos procedemos assim. Uma dessas características está ligada à *organização* de uma unidade composta, que diz respeito às relações entre os componentes que justificam a classificação da unidade. Por exemplo: uma cadeira é uma unidade composta. As relações entre as partes que a tornam uma cadeira são a organização. Se eu a serrar em pedaços e separar essas partes vocês ainda diriam que tem uma cadeira? Não, vocês não diriam isso. Diriam: "Por que você desorganizou nossa cadeira?" Ao desorganizar a cadeira, eu a destruí. Portanto, as relações entre os componentes – aquilo que faz de uma cadeira, uma cadeira – são a sua organização. Uma unidade é de alguma forma uma unidade composta somente se sua organização for uma invariável. Uma cadeira será uma cadeira apenas enquanto tiver a organização de uma cadeira. Se a organização for alterada, não mais teremos uma cadeira. A propósito, esta é a razão pela qual não acho que se deva utilizar a noção da organização autônoma, simplesmente porque tal definição não se aplica à autonomia. Operacionalmente é impossível. Quer dizer, se a organização se altera, a coisa se altera. Uma cadeira é uma cadeira, uma unidade composta de um tipo específico, apenas enquanto sua organização for uma invariável.

A segunda característica das unidades compostas está ligada à *estrutura.* Por estrutura entendo o mesmo que a maioria das pessoas entendem – os componentes e as relações que constituem uma determinada unidade. Uma certa cadeira é feita de uma certa maneira com os componentes adequados e com uma relação específica entre eles. Uma outra cadeira pertence à mesma classe, é uma cadeira, tem o nome de cadeira, porque tem a mesma organização. Mas, tem uma estrutura diferente. Os tipos de componentes que constituem uma cadeira são diferentes dos tipos de componentes que constituem uma cadeira diferente. Portanto, a organização é invariável e é comum a todos os membros de uma determinada classe de unidades compostas, mas a estrutura será sempre individual. Cada unidade em particular tem uma estrutura que compreende a organização e que é composta de seus componentes específicos e das relações concretas e específicas que a tornam uma unidade individualizada. E não apenas isso. Se eu chegasse com uma faca e fizesse às escondidas pequenos entalhes em sua cadeira, vocês não viriam me perguntar por que desorganizei sua cadeira, mas, sim, por que *alterei* sua cadeira. Eu teria modificado a cadeira, mas ela ainda continuaria a ser uma cadeira.

Portanto, a estrutura de uma unidade composta pode ser alterada sem que a sua organização seja destruída. Se destruírem a organização, vocês não terão mais a unidade, mas alguma outra coisa. Todavia, é possível alterar a estrutura sem alterar a unidade em termos de sua identidade de classe, em termos do seu tipo de unidade. Ora, isso é muito interessante porque todos nós já sabemos que assim acontece. Se chegarmos em casa e descobrirmos que nossos filhos cortaram os cantos da mesa, vamos perguntar: "O que vocês fizeram com a mesa?" Mas ela continua sendo uma mesa. Da mesma forma, vocês continuam chamando seus filhos, embora eles cresçam. E o nome se aplica a essa invariável, que é a organização, mesmo que a estrutura se altere. Na realidade, em sistemas dinâmicos, tais como os sistemas vivos, a estrutura está em contínua mudança. Vocês estão mudando suas estruturas neste exato momento. Quando me movimento, altero minha estrutura, porque a estrutura é tanto os componentes quanto suas relações. Felizmente, posso mudar minha estrutura sem perder minha organização. Enquanto puder fazer isso, ou isso acontecer comigo, estarei vivo. Mas vocês podem perceber que esta é uma situação bem interessante, porque quando observamos as coisas dessa forma – que é o que fazemos em situações do dia a dia – abrimos espaço para falar de mudança e de invariância nos sistemas vivos. Ora, os biólogos sabem disso e, quando falam sobre crescimento e evolução, estão falando de condições nas quais algo permanece invariável – a organização da entidade sobre a qual estão falando – e algo se altera – a estrutura das coisas sobre as quais estão falando.

Contudo, ainda temos um problema. Se a explicação que o cientista propõe tiver de ser um mecanismo – e, como eu disse, uma explicação científica implica um mecanismo – então essa explicação ou hipótese deve corresponder àquelas características que identificam um mecanismo. Isto é, ela deve ser a descrição ou a construção de uma entidade cuja estrutura – as relações e mudanças de relações dos seus verdadeiros componentes – determina o que acontece com ela. Em outras palavras, desde que uma explicação científica requer a proposição de um mecanismo que irá gerar o fenômeno, então, esta proposição de um mecanismo significa que o que quer que aconteça ao sistema – o qual está sendo proposto pela hipótese de um mecanismo que originará o fenômeno – será determinado pela sua estrutura. Tal posição será determinada pelos tipos de componentes e as relações entre os componentes que constituem o sistema. Isso quer dizer que sempre que vocês tiverem um sistema ou um mecanismo determinado pela estrutura e fizerem alguma coisa com ele, o que vier a acontecer a ele não depende daquilo que vocês fizeram. O que acontece com ele depende dele. Se vocês têm uma geladeira, por exemplo, as alterações que ela sofre em seus aspectos dinâmicos não dependem daquilo que vocês fazem a ela. Dependem da forma como é produzida. Temos uma boa demonstração disso quando usamos uma daquelas máquinas automáticas nas quais alguma coisa acontece quando apertamos um botão – ela lava, aquece, toca música. Mas isso não é determinado pelo apertar do botão, mas antes, ele é acionado pelo apertar do botão.

Portanto, nos sistemas determinados pela estrutura, nos mecanismos ou sistemas que são definidos e constituídos estruturalmente o que acontece ao sistema depende da forma como ele é construído. As interações a que o sistema é submetido conseguem apenas acionar as mudanças. Não se dão instruções a um sistema, não se especifica o que deve acontecer no sistema. Se vocês ligam um gravador, não lhe dão instruções. Apenas o acionam. E os sistemas vivos, se podem ser explicáveis, devem ser tratados como sistemas determinados pela estrutura, definidos por determinadas organizações. Por isso, devem ser sistemas nos quais tudo o que vier a acontecer será determinado no seu interior pela sua estrutura. As interações por que passam irão apenas acionar as mudanças, mas não irão especificar o que deve acontecer a eles. Esse é um aspecto muito importante, que não deve ser considerado superficialmente. O que estou dizendo é que nada pode acontecer a um sistema determinado pela estrutura, que não seja determinado por ele – pela forma como ele é construído, pela sua estrutura. Vocês são forçados a aceitar isso, se querem que eu apresente uma explicação científica dos sistemas vivos, porque não posso apresentar uma explicação científica de sistemas que não sejam determinados pela estrutura. Isto é, não posso apresentar uma explicação científica para sistemas que não admitem hipóteses experimentais mecanicistas. Portanto, se vocês desejam que eu apresente uma explicação científica relacionada a algo que os sistemas vivos fazem, tal como a conduta adequada, então, vocês estão me pedindo para tratar o organismo, ou o sistema vivo, como um mecanismo, como um sistema determinado pela estrutura. É necessário que a estrutura de um sistema seja mudada para que ele altere a dinâmica de sua condição e então mude aquilo que faz e, mesmo assim, mantenha sua identidade e nós ainda o chamemos pelo mesmo nome. Se observarmos um amigo que se converta do catolicismo para o budismo, veremos que seu comportamento será diferente: deve ter havido uma mudança estrutural. Ele não poderia mudar seu comportamento, se sua estrutura não tivesse mudado. Mas, de qualquer maneira, sua estrutura está mudando, porque ele é um sistema dinâmico e nisso não há problema. O problema é o seguinte: qual foi a mudança estrutural que aconteceu para que ele passasse de católico para budista? Nosso problema é realmente explicar a conduta adequada, mostrar como surge a conduta adequada. O problema aqui é mostrar como a estrutura de um sistema vivo se altera de uma tal forma, que podemos verificar uma determinada conduta adequada que não se via antes. Ou, continuamos a ver a conduta adequada, mesmo sabendo que a estrutura está se alterando, e da mesma forma está se alterando o meio em que o sistema existe. A questão é como lidar com o problema da mudança estrutural e mostrar de que forma um organismo, que existe em um meio e que opera de acordo com sua necessidade, pode passar por uma contínua mudança estrutural de tal maneira que se mantenha agindo adequadamente em seu meio, embora o próprio meio esteja mudando. Muitos nomes podem ser dados para isso: um deles seria *aprendizado*. Mas nós temos também a questão de como o organismo apresenta uma conduta adequada no lugar onde o encontramos. Vou responder a essa questão em primeiro lugar.

Por que um organismo, um sistema vivo, uma pessoa tem a conduta que tem onde nos o(a) encontramos? Por que estou me comportando da forma como estou me comportando? Esta é uma questão que também está ligada à evolução, no sentido em que precisamos compreender o que está acontecendo na evolução. Vou responder essa questão do comportamento em linhas gerais. Se eu tiver um sistema vivo, embora não vá me aprofundar nisso aqui, estou destacando um sistema vivo dessa maneira, porque ele é um sistema fechado, um sistema que apenas origina estágios em autopoesia – então este sistema vivo está em um meio com o qual ele interage. Suas dinâmicas de condição resultam em interações com o meio e as dinâmicas de condição dentro do meio resultam em interações com o sistema vivo. O que acontece na interação? Sendo este um sistema determinado pela estrutura – e eu não posso falar como cientista se não tratar os sistemas dessa maneira – o meio aciona uma mudança de condição no sistema e o sistema aciona uma mudança de condição no meio. Que mudança de condição? Uma daquelas que são permitidas pela estrutura do sistema. Existem, naturalmente, muitas mudanças de condição que a estrutura de um determinado sistema pode permitir e aquela que ocorre depende de certas circunstâncias. Assim, a interação de um sistema vivo com o seu meio, embora o que acontece com o sistema seja determinado pela sua estrutura e o que acontece com o meio também seja determinado pela sua própria estrutura, a coincidência desses dois fatores vai selecionar as mudanças de condição que deverão ocorrer. O meio seleciona a mudança estrutural do organismo, e o organismo, através de sua atividade, seleciona a mudança estrutural do meio. Que tipo de mudança estrutural se dá no organismo? Aquela que for determinada pela estrutura.

Que tipo de mudança estrutural se dá no meio? Aquela que for determinada pela estrutura. Mas a sequência destas mudanças é determinada pela sequência das interações. O meio seleciona o curso da transformação estrutural que o organismo vivo sofre durante sua vida.

Há transformações estruturais, é verdade, que resultam da própria dinâmica do sistema, mas aquelas relacionadas com o seu meio são selecionadas através da interação com o meio. Dois organismos considerados iguais no estágio inicial, mas colocados em diferentes meios, passarão por sequências diferentes de interação. Por isso, terão históricos individuais diferenciados e históricos diferentes de mudança estrutural. Quando era estudante de medicina, eu via alguns colegas dormir nas aulas de anatomia. Então, o professor costumava dizer: "Por favor, acorde o seu colega. Acho que ele vai ser um professor de anatomia quando crescer; ele está dormindo agora". Eu não dormia nas aulas, por isso nunca me tornei um professor de anatomia. Assim, na relação específica de dois sistemas que têm estruturas diferentes e independência no que diz respeito à interação, cada qual seleciona o respectivo curso de mudança estrutural do outro. Se este histórico de interação for mantido, o resultado será inevitável. As estruturas dos dois sistemas terão históricos coerentes, embora em cada um deles as mudanças estruturais sejam determinadas pela própria estrutura. Portanto, após um certo histórico de interação, nós, como observadores, observaremos uma certa correspondência na estrutura dos dois sistemas, e essa correspondência não ocorre por acaso. Ela é o resultado necessário deste histórico, a ontogenia do indivíduo em seu meio. Nenhum de nós esta aqui por acaso. Todos nós estamos aqui como um resultado de nossos históricos de interação com o meio. Então, esta congruência que é observada não é acidental. Em princípio, isso é suficiente para explicar as características mais evidentes da conduta adequada. A conduta adequada é aquela que é congruente com as circunstâncias nas quais é concebida. A conduta é algo que alguém pode ver, as mudanças de condição de um organismo em um meio, como são vistas por um observador, que as vê e as descreve como uma conduta.

O que estou dizendo, então, é que a história de vida de cada organismo é um histórico de mudança estrutural em coerência com o histórico de mudanças estruturais do meio no qual ele existe, porque é concebida através da seleção mútua e contínua das respectivas mudanças estruturais. A congruência entre um organismo e seu meio será sempre, por essa razão, o resultado de seu histórico. Isto é válido para cada indivíduo, para cada organismo. Cada organismo começa sua existência como uma célula, e, como uma célula, tem algumas estruturas iniciais. Ora, a estrutura inicial de cada organismo no início de sua história individual é o resultado de uma outra história, que é a história da filogenia – a sequência de reprodução que resultou naquela célula, que é o começo de um dado organismo. Na filogenia acontece o seguinte: em cada estágio reprodutivo de cada vida anterior a um organismo em particular, o organismo então existente reproduz pelo menos dois outros organismos da mesma espécie. Aquele que consegue desenvolver-se e atingir o estágio de reprodução, participa da linhagem. O outro, aquele que não conseguiu atingir tal estágio, não participa da linhagem. Aqui, a participação ou não participação da linhagem, o fato de alcançar ou não o estágio seguinte da reprodução depende, naturalmente, da ontogenia ter sido alcançada ou não. Se a ontogenia tiver sido alcançada, isto é, se esse organismo viver até a reprodução, ela é conseguida unicamente porque mantém de maneira invariável a sua correspondência com o meio. Sua estrutura está mudando e o meio está mudando, mas a coerência com o meio é mantida de maneira invariável. A adaptação é uma invariável. Se não fosse uma invariável, a adaptação cessaria e o organismo se desintegraria, morreria.

Portanto, cada célula é, em si mesma, o resultado de uma longa história, que implica milhões de anos. Uma história das sucessivas reproduções bem-sucedidas, e cada célula pertence a uma das muitas linhagens que possivelmente se originaram de um ponto em comum em algum passado longínquo. Mas, ao longo dessa história, o fenômeno da organização da célula – a condição da vida – permaneceu invariável, bem como a adaptação permaneceu invariável. As estruturas do organismo têm mudado como resultado de uma seleção contínua através de mudanças estruturais; através de interações do organismo com o meio. Portanto, nós estamos aqui não somente como um resultado de nossos históricos pessoais, mas igualmente como um resultado do histórico de nossos antepassados. De certa forma, todos nós temos a mesma idade e nossas células têm a mesma idade – milhões de anos – se considerarmos não apenas nossas ontogenias individuais, mas também as filogenias, o histórico que é responsável pelas mudanças estruturais que levaram ao nosso tipo específico de coerência. Esse tipo específico de coerência é manifestado pela conduta adequada. A esta altura, eu me dou conta de que vocês podem estar pensando que há alguma armadilha nesta questão da conduta adequada. Assim sendo, talvez eu possa ilustrar a ideia contando uma história interessante que li na revista *Time* alguns anos atrás. Um jovem aluno tinha que prestar exame de Física. O professor entregou-lhe um altímetro e disse-lhe para determinar a altura da torre do campus. O aluno foi a uma loja, comprou um rolo de barbante, subiu ao alto da torre, amarrou o altímetro com o barbante e baixou-o até a base da torre, e então mediu o barbante: 32 metros e 50 centímetros. Foi reprovado. Mas o aluno entrou com recursos e o Conselho Universitário, ou seja lá o que for, decidiu que ele tinha o direito de prestar novo exame. Assim sendo, o professor entregou-lhe o altímetro e disse-lhe para determinar a altura da torre. Dessa vez, o aluno pegou um goniômetro, que serve para medir ângulos, tomou uma certa distância da torre e utilizou a altura do altímetro para triangular a torre. Foi reprovado mais uma vez. Novo recurso, nova concessão, novo pedido para determinar a altura da torre com o altímetro. Ora, acontece que a torre possuía uma bela escada helicoidal. Então, o aluno subiu cada degrau com o altímetro, determinou o curso da hélice e chegou novamente a um resultado. Esse aluno teimoso inventou sete maneiras de determinar a altura da torre sem ler o altímetro! Naturalmente, a questão é: ele sabia Física ou não? Teve uma conduta adequada? Quando o professor o reprovou, a impressão criada é de que ele não teve uma conduta adequada. Não conseguiu mostrar uma conduta adequada diante das circunstâncias nas quais a questão foi formulada. Portanto, se o ponto decisivo tivesse sido a opinião do professor, ele teria fracassado. Mas, o Conselho Universitário tinha uma opinião diferente, e assim sendo ele não fracassou.

Ora, o professor que determina para nós esta conduta adequada fundamental é a vida. Se nós continuamos vivos, temos uma conduta adequada – seja qual for o modo pelo qual nos mantemos vivos. E, se reproduzimos, participamos de uma linhagem. Todavia, se o critério é determinado pelo professor, teremos uma conduta adequada somente até o ponto em que satisfizermos as exigências do professor. Agora pergunto: o que acabei de dizer, em termos bastante gerais que obviamente se aplicam ao nosso ponto fundamental, a vida – pode também ser usado para explicar a conduta adequada ou inadequada diante do professor? Sim, e vou mostrar como. Suponhamos que em vez de considerar apenas o meio, o qual coloquei anteriormente – um meio físico inerte, algo que não consideraríamos vivo – eu introduzisse um outro sistema vivo. Então, a situação seria a seguinte: ainda teríamos a existência daquelas interações anteriores, mas outras interações também surgiriam. Entretanto, meu argumento sobre as interações ainda se aplicaria a essas novas interações, porque o fenômeno de interação seletiva, de selecionar a mudança estrutural no outro, não depende, de forma nenhuma, das características do agente com o qual a mudança é efetuada, contanto que a interação aconteça. Na realidade, o organismo especifica o que ele admite como interação. Você especifica aquilo que aceita como uma interação. Para outras coisas você é transparente. Você não entende o que digo quando uso uma linguagem desconhecida; você especifica quais as linguagens que compreende.

Portanto, não há restrição quanto à variedade de coisas com as quais alguém pode interagir, mas se a outra entidade for um sistema vivo, então temos uma adaptação que envolve um outro sistema vivo; e a invariância de adaptação envolve esse outro sistema vivo. Quando isso ocorre, costumo afirmar que temos um domínio linguístico, embora não vá desenvolver esse assunto a fundo. Sempre que tivermos organismos que, através de um histórico de interações, continuem interagindo entre si, temos um domínio linguístico. Mas, é bom notar que a adaptação, a invariável da adaptação, é uma coerência estrutural, significando que a estrutura do sistema pode ser descrita como detentora de uma correspondência mútua que se manifesta de forma dinâmica. Costumo chamar isso de acoplamento estrutural. A mesma coisa acontece entre os organismos. Se houver uma coerência no histórico de interações, eles estão mutuamente adaptados. Vão continuar a interagir entre si enquanto houver coerência, enquanto permanecerem mutuamente adaptados, porque cada interação resultará na seleção de uma mudança estrutural específica. Sempre que isso acontecer, estabelece-se um domínio linguístico. Se este domínio linguístico permitir um reajustamento na interação linguística, teremos então uma linguagem. Mas, não vou me aprofundar neste assunto. Na verdade, quando um professor e um aluno têm um histórico de interação, a conduta adequada do aluno revelará uma coerência no campo de interação com o professor. Se essa coerência for interrompida em algum momento, então o aluno não terá a conduta adequada aos olhos do professor. Mas professor e aluno realmente selecionam, mutuamente, o curso das mudanças estruturais, enquanto a relação for mantida.

No âmbito dessa minha exposição sobre o mecanismo pelo qual é originada a conduta adequada, está contida minha resposta à questão que propus sobre o fenômeno da cognição. Lembrem-se de que não perguntei: o que é cognição? Somente perguntei: sob quais circunstâncias reconhecemos a cognição? Acabei de mostrar as circunstâncias que originam os fenômenos nos quais reconhecemos a cognição, mas também fiz algo mais. Tracei uma identidade entre a cognição e a vida, pelo menos nos termos absolutamente gerais que nos dizem respeito enquanto sistemas vivos. Há outros domínios da cognição, muito mais restritos. E, a respeito deles, tenho afirmado que em qualquer domínio conhecido de concentração que estabelecermos com outro organismo, o outro organismo observará em nós um comportamento cognitivo – observará em nós uma conduta adequada. Daquilo que acabei de dizer, o fenômeno da cognição é necessariamente relativo ao domínio no qual alguém observa as cocrências estruturais, que são o resultado dos históricos de interação dos organismos.

Finalmente, apresentarei algumas ideias interessantes, embora não me seja possível desenvolvê-las aqui. Quando vocês têm uma linguagem, têm a possibilidade de um comportamento que o observador pode descrever como reajustamento em um domínio linguístico consensual. Estes reajustamentos podem se dar porque há no sistema nervoso uma peculiaridade muito interessante. O sistema nervoso é um sistema fechado, uma cadeia fechada de componentes que interagem mutuamente e na qual a dinâmica de sua condição é uma mudança contínua de relações de atividade que origina relações de atividade na mesma cadeia. Que relações de atividade, e que mudanças de relações de atividade acontecem? Aquelas que são determinadas pela estrutura do sistema nervoso. Consequentemente, é possível mostrar-se que, em termos de descrição – porque a descrição é conduta neste domínio linguístico de coerências mútuas – a linguagem não está no cérebro ou no sistema nervoso, mas, sim, no domínio das coerências mútuas entre os organismos. Quando o observador observa que isso acontece e que as distinções aqui efetuadas podem ser recorrentes, podem ser distinções feitas sobre distinções neste domínio, então temos uma linguagem. Mas isso somente pode ocorrer porque tudo está acontecendo dentro de um sistema fechado. Para o sistema – para nós em nosso sistema nervoso – o ato de apanhar uma folha de papel é uma série específica de mudanças de relações de atividade em nosso sistema nervoso. O ato de beber água é novamente outra série de mudanças de relações de atividade em nosso sistema nervoso. O ato de falar é ainda uma outra. Do ponto de vista do que ocorre no interior do organismo, ocorre dentro do organismo de uma forma fechada. Mas para o observador as coerências parecem linguagens ou interações linguísticas, coisas desse tipo. É isso que, afinal, permite nossa própria dinâmica de condição funcionar como um setor de nossa dinâmica de condição em um domínio linguístico.

4

JAMES LOVELOCK

GAIA – UM MODELO PARA A DINÂMICA PLANETÁRIA E CELULAR

A maioria entre nós recebeu o ensinamento de que nosso planeta poderia ser descrito com precisão pelas leis da Física e da Química. Essa era uma boa e sólida ótica Vitoriana e, mesmo que tenha esquecido os detalhes, você ainda deve se lembrar daquela ideia de que tudo o que foi preciso saber sobre a Terra pode ser encontrado num livro especializado. Basta que você tenha tempo para ler.

Da mesma forma, dizia-se que o clima era uma consequência natural da posição da Terra no espaço, girando em torno desse imenso e constante radiador, o Sol. Explicar o clima em qualquer parte da Terra era uma questão simples: bastava contrabalançar o calor recebido do Sol pelas diferentes zonas climáticas, com a perda de calor pela radiação nas frias profundezas do espaço.

Neste planeta confiável e previsível dos geólogos retrógrados, a biosfera era considerada como uma testemunha ou um espectador que não tinha permissão para entrar no jogo. Nós e todos os demais tipos de vida restantes éramos tidos como incrivelmente afortunados, por estarmos em um planeta onde todas as coisas são, e sempre foram, tão confortáveis e bem adequadas à vida.

De certa forma, estou falando aqui na qualidade de um representante sindical do segmento não humano da biosfera. Em defesa dos meus companheiros, quero deixar claro que a exclusão da vida do seu lugar de direito na condução deste planeta foi um exagero diabólico. Nossa opinião é de que as condições na Terra são adequadas para a vida porque nós e os demais tipos de vida as fizemos e as mantemos assim através de nossa luta.

Isso não é novo. A ideia de que a vida certamente tem a capacidade de se moldar às condições da Terra e otimizá-las em relação às condições contemporâneas da biosfera já foi sugerida no passado, principalmente por Redfield, Hutchinson e Lars Gunar Silen. Na época em que viveram, entretanto, esse pensamento era considerado tão radical que estava excluído de qualquer discussão científica.

A referência mais antiga que já encontrei sobre a ideia de que a vida deve ter moldado a Terra, para adaptá-la às suas próprias necessidades, data de junho de 1875. Um artigo na revista *Scientific American* aborda a controvérsia referente à evolução:

> Um dogma popular e ilógico declara que a vida é o objeto magnífico da Criação; que tanto a composição quanto os contornos da superfície da Terra tem relação direta com a sua habitabilidade; e que todas as coisas mostram um propósito deliberado de amoldar o mundo para ser a habitação de criaturas de sensibilidade, mais especificamente: o homem. Falando claramente, a ciência não tem nada a ver com esses dogmas. Não há meios de se descobrir o propósito final das coisas, e nem tempo a perder nesse tipo de discussão. Todavia, por vezes, é difícil evitar um interesse indireto pelas afirmações daqueles que se atrevem a decidir tais questões. Pelo menos até o ponto de perceber como os fatos da natureza contradizem, na realidade, suas afirmações. Portanto, no presente caso seria muito mais fácil sustentar a tese contrária a saber: longe de ter sido feita como é, para que pudesse ser habitada, a Terra tornou-se o que é através do processo de sua habitação. Em resumo, a vida tem sido o meio, não a finalidade, do desenvolvimento da Terra.

Não foi senão recentemente que novos campos de estudo, como a biogeoquímica, apareceram no cenário científico. Esta nova busca de compreensão de nossa Terra não surgiu de um esclarecimento nas ciências que estudam nosso planeta. Ao contrário, foi inspirada na investigação de outros planetas, especialmente Marte.

Minha participação nessa história começou em 1965, quando trabalhava com um colega – Dian Hitchcock – no Laboratório de Propulsão a Jato, em Pasadena, Califórnia. Tínhamos recebido a tarefa de fazer um estudo crítico das experiências para detecção de vida, na época destinados para Marte.

Naquela época – e parece agora que já se passou muito tempo – havia uma crença generalizada de que existia uma certa possibilidade de se encontrar vida naquele planeta. De qualquer forma, pensava-se que a descoberta de vida em qualquer parte longe da Terra seria um acontecimento formidável, que iria ampliar de tal forma nossa visão do Universo e de nós próprios, que valia a pena o custo da tentativa. Hitchcock e eu não discordávamos desses nobres ideais, mas estávamos preocupados pelo fato de que a maior parte das experiências propostas naquela época eram demasiado geocêntricas para ter sucesso mesmo que houvesse vida em Marte.

Parecia que todas as experiências tinham sido projetadas para procurar aquele tipo de vida que cada investigador conhecia em seu próprio laboratório. Eles estavam procurando vida do tipo terrestre, em um planeta em nada semelhante à Terra. Dian e eu tínhamos a impressão de ser os convidados de uma expedição para procurar camelos na calota polar da Groenlândia, ou para apanhar os peixes que nadavam nas dunas de areia do Saara.

Perguntava-me se seria possível projetar um modelo mais abrangente para essa experiência de detecção de vida. Talvez um modelo que pudesse reconhecer a vida em qualquer de suas formas prováveis. Uma possibilidade seria a de procurar inconsistências na composição química da atmosfera e da superfície planetárias para verificar se havia a presença de substâncias ou processos que seriam inexplicáveis pela química inorgânica. A ideia por trás disso era que, se o planeta possuísse vida, essa vida seria obrigada a utilizar a atmosfera como fonte de depósito de matérias-primas e também como um conveniente meio de transporte para seus produtos. Esse tipo de uso da atmosfera planetária seria revelado pelas alterações na sua composição química – as quais seriam bastante improváveis no caso de processos fortuitos de química sem a presença de vida. Seria uma forma de considerar o planeta Marte com muito poucas conjecturas acerca dos detalhes da vida, se ela existisse lá.

Em 1965, muito antes que qualquer espaçonave tivesse se aproximado de Marte, havia já uma considerável quantidade de informações disponíveis a respeito de sua composição atmosférica. Tudo isso era o resultado de observações astronômicas com o emprego de um telescópio ajustado para raios infravermelhos em vez de raios visíveis. O telescópio estava equipado com um dispositivo chamado interferômetro múltiplo, inventado pelo meu colega Peter Fellgett, e que tinha a capacidade de fornecer uma análise estranhamente detalhada dos gases na atmosfera do planeta. Este potente sistema foi utilizado por Pierre e Janine Connes no Observatório Pic de Midi, na França, e revelou que a atmosfera marciana tinha uma maior presença de dióxido de carbono e apresentou-se bastante próxima de um estado de equilíbrio químico. De acordo com a nossa teoria, Marte era um planeta com poucas probabilidades de possuir vida.

Para testar esse prognóstico, precisávamos de um planeta que de fato tivesse vida. E, naturalmente, o único ao nosso alcance era a Terra. Não foi difícil para nós montar uma experiência *Gedanken,* com um telescópio infravermelho ficticiamente postado em Marte. Esse instrumento, voltado para a Terra, poderia ter facilmente descoberto a presença de oxigênio em grande quantidade, vapor de água, dióxido de carbono, metano e óxido nitroso. Com base nesta informação, juntamente com aquela sobre a intensidade de luz na órbita da Terra, é possível deduzir com quase certeza a presença de vida na Terra.

O argumento é o seguinte: temos uma abundância de oxigênio, 21% da atmosfera, e um vestígio de metano 1,5 parte por milhão. Sabemos, através da química, que o metano e o oxigênio reagem quando iluminados pela luz solar e sabemos também a proporção dessa reação. Diante disso, podemos concluir, com certeza, que a coexistência dos dois gases reativos, metano e oxigênio, a um nível estável, requer um fluxo de metano de 1.000 megatons por ano. Esse é o montante necessário para repor as perdas pela oxidação. Além disso, deve haver também um fluxo de oxigênio de 4.000 megatons por ano, porque esta quantidade é gasta na oxidação do metano. Não há reações conhecidas em química que possam produzir essas enormes quantidades de metano e oxigênio, partindo das matérias-primas disponíveis, água e dióxido de carbono, e com a utilização da energia solar. Portanto, deve haver algum processo na superfície da Terra, capaz de agregar, de uma forma programada, a sequência de intermediários instáveis e reativos, para alcançar esse objetivo. Provavelmente esse processo seja a vida.

Nós havíamos provado nosso método e o havíamos usado para mostrar que Marte era, provavelmente, destituído de vida. Não é necessário dizer que esta notícia não foi bem recebida pelo nosso patrocinador, a Nasa – National Aeronautics and Space Administration (Departamento Nacional de Aeronáutica e Espaço). Eles desejavam, ansiosamente, uma razão para ir a Marte. E que melhor razão do que encontrar vida lá? Muito pior: seria uma publicidade muito pouco interessante para a Nasa afirmar que o trabalho que tinha subsidiado provara que havia vida na Terra. Teria sido um presente para o Senador Proxmire, e não fiquei surpreso ao me ver logo desempregado.

Quando voltei para a Inglaterra, em 1966, a ideia não me saía da mente: como é que a Terra mantém uma composição atmosférica tão constante se esta é composta de gases altamente reativos? Mais intrigante ainda era a questão: até que ponto uma atmosfera instável poderia ser adequada em composição para a vida? Foi então que comecei a imaginar que talvez o ar não fosse apenas um meio ambiente para a vida, mas também uma parte da própria vida. Em outras palavras, parecia que a interação entre a vida e o ambiente, da qual o ar é uma parte, era tão intensa que o ar poderia ser considerado como uma pele de gato ou o revestimento de um ninho de vespas: sem vida, mas feitos por seres vivos para suportar um dado ambiente.

Uma entidade que abranja todo um planeta, e que tenha a poderosa capacidade de regular o seu clima e sua composição química, precisa de um nome que lhe faça jus. Tive a felicidade de ter como vizinho, naquela época, o romancista William Golding. Quando discuti esse assunto com ele, durante um passeio a pé pelo nosso bairro, ele sugeriu o termo *Gaia* – que os gregos, empregavam para denominar a Terra. Fiquei ao mesmo tempo satisfeito e agradecido, porque se tratava de uma palavra simples de quatro letras, e não uma sigla para representar uma dessas frases disformes tão apreciadas pelos nossos amigos cientistas. Com certa ingenuidade, eu imaginava que ela deveria prever o uso de algo como químico--bio-geo-cibernética ou coisa pior. Naturalmente, não foi esse o caso. Entretanto, quando eu usar a palavra *Gaia* daqui para frente, ela será o nome de um sistema hipotético que mantém o equilíbrio deste planeta.

No final da década de 1960, os únicos cientistas que consideravam seriamente o termo *Gaia* eram o eminente geoquímico sueco Lars Gunar Sillen e a igualmente eminente bióloga norte-americana Lynn Margulis. Lynn e eu trabalhamos em colaboração para o desenvolvimento dessa ideia e podemos classificar em duas categorias as evidências colhidas até aqui.

Primeiro, há uma evidência termodinâmica. Aquele tipo de evidência, que já mencionei, em conexão com a coexistência de oxigênio e metano. Ela diz respeito aos fatos concretos pelos quais a presente Terra real é reconhecidamente diferente de uma Terra feita do mesmo material, e na mesma posição no sistema solar, mas que não possua vida. Essa diferença pode ser medida em termos da extensão na qual a composição química do solo, dos oceanos e do ar difere do estado de equilíbrio sugerido. A diferença é a medida da redução da entropia em consequência da presença de vida.

Para ilustrar essa diferença, vamos considerar um pouco a composição das atmosferas de alguns planetas: Vênus, Marte, Terra e Júpiter e também a nossa Terra hipotética, da qual, de alguma forma, foi eliminada toda a espécie de vida, mas que continua sob outros aspectos exatamente igual à Terra real – qualquer que tenha sido o evento drástico que causou a eliminação da vida sua ação foi bioaniquiladora, e não teve consequências sobre a química ou o clima, no momento em que aconteceu. Ora, o que interessa em uma atmosfera não é saber a quantidade que existe de um determinado gás, mas, sim, quanto desse gás está fluindo através dela. Em nossa atmosfera há 80% de nitrogênio, mas este é um gás razoavelmente inerte, e não flui através da atmosfera tão rapidamente quanto o metano, o qual está presente apenas na proporção de 1,5 parte por milhão. Há três classes importantes de gases presentes nas atmosferas planetárias: gases oxidantes, tais como oxigênio e dióxido de carbono; gases neutros, como nitrogênio e monóxido de carbono; e aqueles que os químicos chamam de gases redutores, como metano, hidrogênio e amoníaco. Em geral, os gases oxidantes e redutores dispõem-se a reagir entre si e, frequentemente, de forma bastante ativa.

Ora, o objetivo dessa ilustração é mostrar que a atmosfera dos dois planetas "terrestres" destituídos de vida, Vênus e Marte, contém apenas gases oxidantes e neutros, ao passo que aquelas grandes gigantes de gás – dos quais Júpiter é um bom exemplo – não têm nada neles além de gases redutores. A Terra, a nossa Terra com vida, é bastante anômala: sua atmosfera contém gases redutores e oxidantes em total coexistência – e esta é uma situação das mais instáveis. É quase como se estivéssemos respirando o tipo de ar que é uma mistura de gases que entra em um forno ou em um motor de combustão interna. Nosso planeta é realmente estranho. Agora, a hipotética Terra estéril teria uma atmosfera exatamente igual àquela de Marte e Vênus: o oxigênio seria um mero vestígio daquilo que é atualmente na Terra; o nitrogênio seria absorvido, em grande parte, pelos oceanos; e o metano, o hidrogênio e o amoníaco desapareceriam após alguns anos.

Quando o ar, os oceanos e a crosta terrestre são vistos sob este prisma, a Terra parece, de fato, uma estranha e bela anomalia. A evidência que Lynn Margulis e eu, além de outros – especialmente Michael Whitfield – reunimos em todos estes anos estabelece, quase sem margem de dúvida, que a Terra é uma construção biológica. Todas as camadas da superfície da Terra são mantidas em condição estável, bem distante das expectativas da química, através do dispêndio de energia da biosfera. O passo seguinte é estabelecer que essa construção é otimizada para a biosfera contemporânea. Há razões para confiarmos que a informação necessária, para estabelecer a existência de *Gaia* como um sistema de controle, está soterrada na evidência da termodinâmica. Não existe até o momento uma descrição física formal da vida em si e talvez o mesmo formalismo seja necessário para comprovar (a teoria) *Gaia*.

Há uma outra maneira de abordar (a teoria) *Gaia:* através da cibernética. A forma usual de examinar, ciberneticamente, uma hipótese é comparar o comportamento da Terra real com aquele do modelo dinâmico. Robert Garrels e seus colaboradores fizeram isso, no estudo dos ciclos de alguns elementos principais que fluem através dos compartimentos da superfície da Terra (os oceanos, a crosta e a atmosfera). Quando eles consideraram os efeitos da presença de vida sobre esse fluxo, chegaram à seguinte conclusão, segundo as próprias palavras de Garrels: "O ambiente da superfície da Terra pode ser visto como um sistema dinâmico, protegido contra perturbações por mecanismos eficazes de realimentação". De forma semelhante, Michael Whitfield estudou os ciclos dos elementos nos oceanos, e conclui que as tramas dos seres vivos desempenham o papel mais importante na distribuição e abundância dos vários elementos dispersos no mar.

Outra forma de estudar a Terra através da cibernética é formular uma pergunta: "Qual é a função de cada gás no ar, ou de cada componente do mar?" Fora do contexto de *Gaia*, essa pergunta seria considerada redundante e ilógica, mas dentro desse contexto não será mais ilógica do que a pergunta:

"Qual é a função da hemoglobina ou da insulina no sangue?" Temos postulado um sistema cibernético; portanto, é razoável indagar a função das partes componentes.

Vamos considerar os gases do ar da seguinte forma: o oxigênio é o gás dominante, ainda que não o mais abundante. Ele estabelece o potencial químico do planeta. Torna possível, na presença de algum combustível, acender o fogo ou ligar um motor de combustão, em qualquer parte da Terra. Toma possível o voo dos pássaros e a nossa faculdade de pensar.

Qualquer componente funcional de um sistema ativo pode ser controlado; em se tratando de um componente importante e poderoso como o oxigênio, deve ser grande a necessidade de controle. Que evidência temos de que o oxigênio é controlado? Com certeza, por várias centenas de milhões de anos, ele não pode ter existido em porcentagem muito inferior à atual, ou os animais de maior porte e os insetos voadores não poderiam ter existido. Meu colega Andrew Watson demonstrou, em algumas experiências bem elaboradas, que esse gás nunca deve ter estado num volume maior do que 4% superior ao atual e, provavelmente, nem mesmo mais que 1%. Suas experiências demonstraram que a probabilidade de incêndios florestais depende decisivamente da concentração de oxigênio, e que um simples acréscimo de 1% em oxigênio aumenta em 60% a probabilidade de fogo. A uma concentração de 25% de oxigênio, até mesmo os detritos úmidos de uma floresta pluvial podem ser incendiados por um raio. Uma vez em chamas, as florestas continuariam queimando num pavoroso incêndio, mais violento do que jamais se soube. Se esta proporção de 25% de oxigênio atmosférico fosse mantida por longo tempo, toda a vegetação existente seria erradicada da superfície da Terra pela ação do fogo. Evidentemente, esta é uma situação que está longe de ser considerada ótima. Nosso atual nível de 21% de oxigênio é um bom equilíbrio entre o risco e o benefício. Os incêndios de fato acontecem, mas não tão frequentemente a ponto de contrabalançar as vantagens auferidas de uma energia de alto potencial.

Embora este não seja o lugar para descrever nosso trabalho nesta área, devo dizer que ainda continuamos a investigar o controle do oxigênio e achamos agora que um processo da biosfera, antes enigmático e aparentemente prejudicial – aquele para produzir metano, apenas para que ele circule na atmosfera onde será oxidado, não resultando em nenhum proveito aparente – é de fato parte de uma linha de realimentação destinada ao controle do oxigênio. Se isso for verdade, o metano tem uma função importante. Argumentos semelhantes podem ser empregados para designar funções para os outros gases da atmosfera, até mesmo o nitrogênio.

Um dos argumentos mais convincentes em favor da *Gaia* vem da necessidade evidente de controle do clima. Embora seja do conhecimento geral entre os astrônomos, não é muito difundido o fato de que o nosso Sol vem se aquecendo espontaneamente. E tem feito isso desde a origem do planeta. A proporçao de aumento da potëncia do Sol é tal, que é provável que tenha se elevado entre 30% e 50% desde que a vida teve início. É uma propriedade das estrelas aumentar sua potência de calor e luz, à medida que envelhecem. E não há razão para se supor que o nosso Sol seja uma exceção. Obviamente, quando do início da vida no planeta, o clima deveria ter sido equilibrado: nem glacial e nem escaldante. Ora, não se sabe com certeza o curso da temperatura durante o tempo em que a vida tem existido, mas todas as evidências indicam que ele tem se mantido extraordinariamente constante. Uma elevação de 30% na potência solar acima do nível atual nos levaria ao ponto de ebulição. Assim sendo, se a atual proporção de aumento da potência solar vem ocorrendo desde o início da vida na Terra, por que não estamos em ebulição agora?

Sagan e Mullen foram os primeiros a apresentar uma resposta plausível. Sugeriram que o jovem planeta Terra tinha uma atmosfera rica em amoníaco, e que esse gás – por meio de sua capacidade de absorver as emanações de raios infravermelhos – agia como uma manta que mantinha o planeta aquecido, apesar do Sol mais frio. Outros, desprezando o amoníaco, sugerem que 5% a 10% de dióxido de carbono podiam alcançar o mesmo resultado.

As sugestões da *Gaia* resultam da percepção de que, para a Terra ter-se desenvolvido desde a sua origem até os dias atuais, foi necessária uma redução suave e contínua da mencionada manta de gás que a conservava aquecida, de modo que a espessura da manta se adequasse ao crescente calor do Sol. Esquemas simples e até mesmo plausíveis foram propostos, nos quais, por exemplo, a taxa de desgaste das rochas sempre remove dióxido de carbono em proporção exatamente igual, de modo que o planeta se mantém a uma temperatura estável. Estes esquemas perdem credibilidade quando consideramos o fato de que o clima da Terra se equilibra entre dois regimes climáticos mais estáveis, porém bastante letais: um glacial e o outro quase escaldante. Além disso, quando se leva em conta a tendência da vida iniciante de devorar a manta, não nos parece que a preservação da vida por todos esses longos anos seja uma indicação convincente de um controle exercido por *Gaia*.

Nada mais que o mero acaso poderá ser necessário para explicar qualquer um dos pontos de evidência que mencionei. Mas quando todos são colocados juntos como um grupo e especialmente quando a reconhecida constância do ambiente da Terra for levada em conta, juntamente com a afirmação inconteste de que muitas perturbações de vulto foram suportadas, então, parece que vale a pena examinar a teoria *Gaia* com mais atenção.

Em seu desenvolvimento como uma hipótese, *Gaia* tem sido ignorada, em vez de criticada, pela comunidade científica. Os geoquímicos preferem acreditar que, embora algumas alterações na composição da Terra possam ser atribuídas à bioesfera, tais alterações são passivas e, de nenhuma forma, constituem um tipo de controle. Até o momento, a única crítica direta foi feita pelos biólogos cujos estudos estão centrados na molécula, expressa de forma clara por Ford Doolittle, que afirma que não há uma maneira pela qual a seleção natural darwiniana pudesse resultar numa entidade semi-imortal como *Gaia*. Genes egoístas nunca poderiam formar uma associação tão altruísta. Respeitamos essa crítica, mas discordamos dela, pelo menos devido ao fato de que se baseia na falsa hipótese de que a evolução adaptativa ocorre independentemente do ambiente em que a adaptação se dá. Na realidade, cada estágio evolutivo de um componente da biosfera tem a capacidade de alterar o ambiente. Às vezes, a mudança é mesmo drástica, como aquela que registrou a primeira aparição de oxigênio atmosférico. Quando o ambiente é alterado pela formação de uma nova espécie, muitas outras são forçadas a uma adaptação. E, assim, a mudança continua.

Esse processo é conhecido dos matemáticos que se utilizam de métodos numéricos. É o mesmo da interação, no qual a sequência de conjecturas converge para a verdade inacessível. Com muita frequência, tais processos levam à minimização da mudança e a uma nova estabilidade.

Esses, então, são alguns dos pontos de evidência e de crítica em relação a *Gaia*. Se eu tivesse apresentado todos eles, estaria apenas corroborando, mas não provando sua existência. De qualquer forma, santificar uma hipótese em ciência é, geralmente, menos proveitoso do que usá-la como um tipo de espelho, através do qual se possa ver o mundo de maneira diferente. Portanto, vamos supor por um momento que *Gaia* realmente exista e ver quais são as consequências de sua presença sobre nossas preocupações atuais.

A primeira coisa em que devemos pensar é o efeito do possível aumento de população da espécie humana, juntamente com aquelas que dela dependem em termos de agricultura e pecuária. Juntos, consumimos uma proporção cada vez maior do total de recursos materiais da terra. Quais são as consequências disso, com ou sem a hipótese *Gaia?*

Aqueles ambientalistas que acreditam que a composição e o clima da Terra são independentes da biosfera, consideram a vida como coisa frágil e em perigo de destruição. Não discordo; se a vida e o ambiente estivessem evoluindo independentemente, então a vida seria frágil, pois estaria à mercê de qualquer mudança adversa.

Há uma auréola curiosamente familiar para a palavra "frágil". Era bastante empregada na época Vitoriana para descrever as mulheres, provavelmente para justificar a dominação masculina. Sempre que um ambientalista me diz que a vida na Terra é frágil e pode ser destruída, caso, por exemplo, a camada de ozônio seja ligeiramente exaurida, lembro-me de minha avó Vitoriana. Se aceitarmos *Gaia;* pelo menos para efeito de raciocínio, essa fragilidade parecerá absurda. *Gaia,* da mesma forma que as mulheres Vitorianas, é na verdade bastante robusta. E, da mesma forma que elas, tem sido obrigada a suportar os insultos.

A capacidade de resistência da vida ou de *Gaia* é provada por sua sobrevivência, a despeito de no mínimo 30 impactos quase mortais de planetesimais. A cada 100 milhões de anos, aproximadamente, somos atingidos por um pequeno planeta, cujo tamanho é cerca de duas vezes o Monte Everest, e que se desloca a uma velocidade 60 vezes superior à do som. A energia cinética do seu deslocamento é tão grande que, se ela fosse uniformemente dispersa sobre toda a Terra, seria equivalente à detonação, a cada quilômetro quadrado, de 20 bombas atômicas do tamanho daquela de Hiroshima. Felizmente, esses efeitos são de certa forma localizados.

Sessenta e cinco milhões de anos atrás, um impacto dessa natureza causou a extinção de cerca de 60% de todas as espécies então existentes. Esse foi um dos não menos que 30 impactos semelhantes, que se deram desde o início da vida, e alguns foram 20 vezes mais violentos. *Gaia* não pode ser nada frágil para suportar impactos como esses. Na verdade, o surgimento de novas espécies que se seguiu a esses eventos é uma indicação de sua capacidade de se recuperar. É mesmo possível que nós, como uma espécie, sejamos o resultado da estimulação de um recente impacto desse tipo.

Parece bastante improvável que qualquer coisa que façamos possa ameaçar *Gaia.* Mas, se conseguirmos alterar o ambiente de forma sensível como pode acontecer no caso da concentração de dióxido de carbono na atmosfera – então uma nova adaptação pode se processar. E, provavelmente, não será em nosso benefício.

Quando nos referimos à vida ou à biosfera, nossa tendência é esquecer que os procariontes, uma simples bactéria, mantiveram uma biosfera bem-sucedida e representaram a vida na Terra por cerca de duas eras (dois milhares de milhões de anos). Atualmente, ainda são responsáveis por grande parte da condução do sistema existente. Certa vez, Lynn Margulis observou que a verdadeira função dos mamíferos, incluindo a espécie humana, poderia ser a de se prestar a *habitats* ideais para uma certa quantidade de bactérias carregadas nas vísceras. Ali, elas são mantidas aquecidas e bem-alimentadas, num ambiente que pode parecer-lhes um paraíso particular. Estas ideias de *Gaia* nos fazem lembrar também que a vida é muito mais que seres humanos, animais inofensivos, árvores e flores silvestres. Aqueles que estão, acertadamente, preocupados com essas coisas devem também se preocupar com suas infraestruturas não tanto atraentes.

Uma crítica frequente à hipótese *Gaia,* é de que ela produz uma complacência através da crença de que a realimentação de Gaia protegerá sempre o ambiente contra qualquer dano que o homem possa causar. Às vezes afirma-se mais duramente que as ideias *Gaia* dão ensejo a um tipo de permissão oficial para poluir à vontade.

As hipóteses científicas são usadas com bastante frequência como metáforas em argumentos sobre a condição humana. Este uso desvirtuado de *Gaia* é tão inadequado quanto foi o uso de teoria de Darwin para justificar a moralidade do capitalismo do *laissez-faire. Gaia* é uma hipótese no âmbito da ciência e é, portanto, eticamente neutra por natureza. Temos tentado com afinco manter a fé nas regras da ciência. Se a hipótese for utilizada fora desse contexto, deverei dizer mais uma vez que é apenas um espelho para ver as coisas de maneira diferente. Com um espelho é muito fácil ver o seu próprio reflexo.

O ambientalista que gosta de acreditar que a vida é frágil e delicada e que está em perigo diante da brutalidade do homem, não gosta do que vê quando olha o mundo através de *Gaia*. A donzela desamparada que ele esperava resgatar, surge como uma mãe canibal saudável e robusta. O mesmo ambientalista utilizará a Segunda Lei da Termodinâmica como um espelho, e verá nela uma justificativa para a apócrifa Lei

de Murphy: "Se alguma coisa puder dar errado, dará errado".
Ele divisa o nosso universo como o cenário para uma tragédia,
onde somos os participantes de um jogo mortal em que não
podemos empatar e muito menos vencer.

Através de *Gaia*, vejo uma imagem bem diferente refletida. Estamos a ponto de ser devorados, pois é costume de *Gaia*
devorar seus filhos. A decadência e a morte são certas, mas
parecem um pequeno preço a pagar pela vida e pela posse da
identidade como um indivíduo. É sempre muito fácil esquecer
que o preço da identidade é a mortalidade. A família vive mais
tempo que um de nós, a tribo vive mais tempo que a família, as
espécies sobrevivem à tribo. E a própria vida pode existir pelo
tempo em que puder manter este planeta adequado para ela.

Talvez o conhecimento mais estranho, advindo de nossa
busca em relação a *Gaia*, seja a percepção de que, embora possa ser robusta, nossa Terra apresenta condições que se apro-
ximam do ponto no qual a própria vida não esteja longe de seu
fim. O aumento incessante do calor do Sol estará acima da
capacidade de controle ou adaptação. Do ponto de vista humano, a Terra ainda é habitável para sempre. Mas, em termos de
Gaia, se o prazo final de duração da vida na Terra fosse de um
ano, estaríamos agora na última semana de dezembro.

Antes que a nossa Terra se torne um problema de geriatria planetária, com frágeis aparelhos colocados no espaço, à
guisa de para-sóis para mantê-la viva por mais alguns milênios, espero que sejam resolvidos os problemas éticos parale-
los e inerentes à geriatria humana.

É uma visão pessimista, contemplar a nossa Terra, e o
próprio universo, correndo para se acabar queimados, quando você é um dos que desejam tanto possuir esse bolo quanto
comê-lo. Você não pode usar uma lanterna para enxergar seu
caminho no escuro e ao mesmo tempo esperar que as pilhas
durem para sempre. Foi a decadência do universo que tornou
possível a existência da Terra e do Sol. E é a decadência do
Sol que tem possibilitado a realidade da nossa existência. Em
algum momento tudo isso terá inevitavelmente um fim.

5

LYNN MARGULIS

OS PRIMÓRDIOS DA VIDA

Os micróbios têm prioridade

Durante a maior parte da história da vida neste planeta, a paisagem dos seres vivos lembra um quadro de Gustave Courbet, *Marinescape,* onde ele mostra uma praia esquecida pelo tempo. Embora imperceptível, a vida na forma de bactéria e suas variadas comunidades mudou a superfície e a atmosfera do planeta. Embora diminuta, a vida primitiva era complexa e original. Em regiões pantanosas, em extensas áreas impregnadas de vapor úmido, em charcos e lagoas, os micróbios desenvolveram inovações que nós agora associamos a animais e plantas: reprodução, predação, movimento, autodefesa, sexualidade e muitas outras.

Os filamentos perfeitos, encontrados na região Noroeste da Austrália, são uma evidência real da vida mais primitiva no planeta? Os fósseis encontrados nas grandes jazidas de ferro Gunflint, de Ontário, revelam que as bactérias foram o instrumento da acumulação das mais importantes reservas de ferro no mundo? Estas questões ainda não foram resolvidas mas, mesmo ao levantá-las agora, estamos começando a perceber que a vida é uma parte muito mais dinâmica da "geofisiologia" do que suspeitávamos anteriormente.

A Terra manteve uma superfície sólida de rochas por cerca de quatro bilhões de anos. Os fósseis mais antigos – de esferas isoladas em microscópio, assemelhados às modernas bactérias têm cerca de 3,5 bilhões de anos. Ainda assim, até cerca de meio bilhão de anos atrás, nenhum organismo multicelular de porte – seja animal ou planta – habitou a Terra.

Fósseis encontrados mostram que, mais ou menos naquela época, alguns animais marinhos apareceram nos litorais em todo o mundo. Muitas formas de vida descendem desses animais e das algas marinhas que lhes serviam de alimento. Desde então, a vida rastejou pela terra, plantas florescentes apareceram e se tornaram a vegetação dominante, e todos os insetos, peixes, répteis, aves e mamíferos também surgiram. A história dos seres humanos é um mero momento comparada com o que aconteceu anteriormente – os primeiros vestígios do homem moderno, ou seja, do *Homo sapiens*, apareceu nos registros de fósseis de apenas 35 mil anos atrás.

A evolução está indo cada vez mais rápida. Por que foram necessários três bilhões de anos para a passagem do organismo unicelular para aquele multicelular de maior porte? Estes organismos unicelulares criaram as estratégias químicas e biológicas que tornaram possíveis as formas mais complexas de vida. Durante aqueles primeiros três bilhões de anos, a célula passou por um desenvolvimento evolutivo profundo. Ela estava literalmente comprometida com a evolução de suas partes funcionais. Na época em que algas e animais marinhos apareceram, os micróbios já haviam desenvolvido todas as principais adaptações biológicas: estratégias variadas de transformação de energia e alimentação, movimento, sentidos, sexo e até mesmo cooperação e competição. Haviam inventado quase tudo do moderno repertório da vida, com exceção, talvez, da linguagem e da música.

Até recentemente, a maioria dos esforços para reconstituir as formas pelas quais os organismos evoluíram visavam a animais e plantas. É uma nova concepção, esta de que os micro-organismos mais simples, porém mais abundantes e variados, são também o produto de uma longa história evolutiva. Uma concepção desenvolvida em descobertas recentes nos mais diversos campos, incluindo a microbiologia, a bioquímica e a geologia. Talvez as descobertas mais esclarecedoras tenham sido feitas com o uso do microscópio eletrônico, o qual, utilizando um raio eletrônico, em vez da luz, consegue uma ampliação de até 500 mil vezes. Alguns organismos, que eram considerados semelhantes, revelaram-se cheios de diferenças surpreendentes. Por outro lado, estruturas e organismos, aparentemente bastante diferentes, mostraram ter muita coisa em comum. O conhecimento em detalhe da delicada estrutura das células conduziu diretamente para a compreensão das relações evolutivas.

Grande parte das evidências a respeito da história evolutiva é obtida pelo estudo de organismos hoje existentes. Felizmente, para os estudiosos da vida primitiva, a inovação bem-sucedida se perpetua. Toda vez que algum padrão complexo de crescimento e metabolismo surge e vinga, a tendência é de que ele persista. A minúscula bactéria tornou-se otimamente adaptada a esses nichos primitivos e duradouros como as costas rochosas, os pântanos, os leitos dos rios e as salinas. Pelo estudo feito nessas células ubíquas, visando identificar seus padrões de metabolismo, suas trocas gasosas e seu comportamento, os pesquisadores começaram a montar as peças de um quadro que revela a aparência dos seus ancestrais primitivos.

As células dos organismos de porte, tais como plantas e animais, geralmente, são maiores que as células bacterianas. Elas também diferem em outros aspectos fundamentais. As células de animais e plantas sempre contêm organelas, órgãos intracelulares distintos, que diferem reconhecidamente de seu ambiente na célula. Uma organela que elas sempre apresentam é o núcleo. Separado do resto da célula por uma membrana, o núcleo é uma bolsa que contém o material genético: ácido desoxirribonucleico (ADN), bem como moléculas de grande teor proteico e o ácido ribonucleico (ARN). Por definição, uma célula que contenha seu ADN em um núcleo envolto por uma membrana, é uma célula eucarionte. O mundo vivo é, sem nenhuma ambiguidade, divisível em células eucariontes e procariontes. Todas as formas de vida, maiores e mais elaboradas, são compostas de células eucariontes ("verdadeiramente nucleadas"), ao passo que as bactérias e suas parentes microbianas são compostas de células procariontes ("pré-nucleadas").

Nas células eucariontes, o ADN é densamente envolto com proteína nos cromossomos, corpos em forma de bastão situados dentro do núcleo. O ADN das células procariontes, ao contrário, é uma única molécula circular que flutua livremente no interior da célula. Salvo poucas exceções, todas as células eucariontes contêm mitocôndrias, organelas providas de membranas, nas quais o oxigênio é usado para "queimar" as moléculas de alimentos que fornecem energia para quase todas as demais atividades da célula. Outra organela que gera energia é o cloroplasto, uma unidade no interior da célula, que contém clorofila. Células de plantas e algas verdes contêm pelo menos um e até centenas ou mesmo milhões de cloroplastos. Elas são as áreas de fotossíntese, o processo pelo qual as células transformam a energia da luz solar em energia química. Nas procariontes, o consumo de moléculas de alimento e o processo de fotossíntese não são restritos às organelas fechadas, mas acontecem nas membranas espalhadas por toda a célula.

As células eucariontes móveis têm a característica de trazer, sobre suas membranas externas, formas capilares reduzidas (cílios) ou formas alongadas como um chicote (flagelos). Tanto os cílios quanto os flagelos são semelhantes a feixes de pequenos túbulos ocos, organizados em um mesmo padrão sofisticado. As batidas dos pseudópodes podem mover a própria célula ou podem mover partículas e fluidos junto à célula estacionária. Entre as procariontes, as estruturas análogas (os flagelos) são menores e mais simples – eles possuem um único filamento. Outros componentes, exclusivos das células eucariontes, são os centríolos, pequenos corpos, como pontos, que aparecem durante a divisão da célula; vacúolos, espaços dentro da membrana que atuam na regulagem de fluido e sal; lisossomos, pequenas vesículas químicas que trituram as partículas de alimentos para a digestão intracelular, e o complexo de Golgi, grupos de bexigas membranosas achatadas que armazenam e transportam os produtos sintetizados por células especiais. O complexo de Golgi é especialmente visível nas células que produzem cascas rígidas, esqueletos ou secreções glandulares como os sucos digestivos.

A vida mais primitiva na Terra consistia apenas de células de bactérias procariontes. Os organismos feitos de células eucariontes só aparecem em cena muito mais tarde. A época exata do surgimento dessa inovação evolutiva tem sido objeto de muito debate. As células eucariontes devem ter surgido há mais de 2 bilhões de anos e não menos que 700 milhões de anos aproximadamente. Por volta dessa época, os animais marinhos feitos de tais células estavam distribuídos por diversas regiões litorâneas. De que forma surgiram as células eucariontes? A sequência de eventos que ligam as ancestrais procariontes às suas descendentes eucariontes é assunto de ampla discussão e diferentes hipóteses – objeto de muitas investigações em laboratório – já foram aventadas. Adoto a teoria de que certas organelas de células eucariontes foram originadas pela simbiose.

A simbiose pode ser definida como uma vida íntima em conjunto de dois ou mais organismos de espécies diferentes, denominados simbiontes. De acordo com a teoria simbiótica da origem das eucariontes, micróbios antes independentes associaram-se, primeiro por acaso, como células separadas – numa ligação de hospedeiro e hóspede – e depois, por necessidade. Afinal, as células hóspedes tornaram-se as organelas de um novo tipo de célula. Uma sequência semelhante de eventos pode ser encontrada nas relações simbióticas entre muitas formas modernas de vida. Muitos organismos vivem instalados no interior, na parte superior ou nas bordas de outros organismos. As simbioses hereditárias – aquelas nas quais os parceiros permanecem juntos por todo o seu ciclo de vida – são surpreendentemente comuns. Em alguns casos, um dos parceiros pode processar seu próprio alimento pela fotossíntese, mas o outro não. Organismos do primeiro tipo, capazes de captar diretamente a energia do Sol e utilizá-la para sintetizar os compostos de que necessitam para crescimento e reprodução, são conhecidos como autótrofos ("alimentados por si mesmos"; do Grego, *trophe; alimento)*. Os organismos do segundo tipo são chamados heterótrofos ("alimentados por outros").

Os líquens são um exemplo comum de uma relação simbiótica. Achatados, formando crostas e assemelhados a uma planta – podendo sobreviver em ambientes alternadamente úmidos e secos e severamente frios – os líquens são uma parceria simbiótica entre algas (autótrofos) e fungos (heterótrofos). As células da alga são envolvidas pelas células resistentes e filiformes dos fungos, as quais protegem a alga da agressividade do ambiente. As algas, que precisam ficar na água quando em vida independente, produzem alimento pela fotossíntese para si e para seus parceiros, os fungos.

Certas bactérias que habitam o leito lodoso dos lagos também entram em simbiose. Um parceiro de maior porte, capaz de nadar, irá associar-se a vários outros menores, formas imóveis que podem produzir seu próprio alimento pela fotossíntese. Então, esse consórcio de bactérias desloca-se como uma unidade que tem as capacidades reunidas de ambas as partes. Recifes de coral, também, dependem da associação entre os minúsculos celenterados (corais, águas-vivas, anêmonas-do--mar) e seus parceiros simbióticos, tipicamente dinoflagelados unicelulares do gênero *symbiodinium*. Os dinoflagelados, que vivem no interior das células de seus hospedeiros, realizam a fotossíntese que alimenta as populações florescentes que habitam rochas situadas em águas de baixo teor nutritivo.

Quase todos os grupos de organismos têm membros que formaram parcerias estáveis para alimentação, higiene ou proteção. A fisiologia e os padrões de herança dos simbiontes modernos fornecem analogias para a avaliação da hipótese de que as organelas celulares surgiram através da simbiose.

Que tipo de mundo as células procariontes primitivas habitavam? As condições e a atmosfera do planeta eram semelhantes àquelas que conhecemos em nossos dias? A superfície da Terra, os oceanos e a atmosfera foram alterados tão profundamente pelas atividades das formas vivas no planeta que, para responder a estas questões, é preciso voltar-se para os estudos de nossos planetas vizinhos destituídos de vida. A Terra foi formada pela condensação de uma nuvem de poeira e gases, da mesma forma que os outros planetas do nosso sistema solar. Os astrofísicos postulam que a maioria dos principais corpos do sistema solar originaram-se durante o mesmo período, cerca de 5 bilhões de anos atrás. Fotografias tiradas de satélites em órbita mostram superfícies igualmente dotadas de crateras na Lua e em Mercúrio, Vênus e Marte e suas luas. O fato de que as rochas mais antigas extraídas da superfície da Lua, bem como os meteoritos encontrados na Terra têm todos cerca de 4,5 bilhões de anos de idade, sustenta igualmente a ideia de uma origem comum dos principais corpos do sistema solar.

É possível, portanto, considerar Marte e Vênus regiões estéreis do tipo terrestre, com histórias planetárias semelhantes, e formular algumas hipóteses sobre a forma como a vida modificou a superfície do nosso planeta. (Os resultados das sondas russas Venera 9 e 10 sobre Vênus, bem como a missão Viking americana a Marte em 1976, também sugerem que esta suposição é plausível). Uma das diferenças mais evidentes entre a Terra e os seus vizinhos é a grande concentração de oxigênio encontrada na atmosfera terrestre. As atmosferas de Marte e Vênus contêm cerca de 98% de dióxido de carbono, e bem menos que 1% de oxigênio (elas também têm cerca de 2% de nitrogênio e algum vapor de água), ao passo que a Terra atualmente tem quase 21% de oxigênio e somente 0,03% de dióxido de carbono (e 79% de nitrogênio). Quando a Terra foi inicialmente formada, sua atmosfera talvez se assemelhasse à dos planetas vizinhos naquela época.

As considerações em nível biológico também sustentam a teoria de que a atmosfera da jovem Terra não continha oxigênio livre. A vida originou-se na Terra através da formação e interação de componentes pré-biológicos: aminoácidos, nucleoproteínas e açúcares produzidos não biologicamente. Tais compostos químicos, simplesmente, não se acumulam na presença do oxigênio, que reage com eles e os destrói logo que se formam. Então, as primeiras células na Terra devem ter surgido na ausência de oxigênio.

As bactérias primitivas – aquelas tidas como mais diretamente procedentes das nossas células ancestrais mais primitivas – são envenenadas pelo oxigênio. Contra o gás elas não têm proteção química ou outra qualquer e o material de suas células queima-se, com efeito, se exposto a ele. Essas bactérias, chamadas anaeróbias, vivem pela fermentação, utilizando compostos orgânicos e produzindo ATP anaerobicamente. É razoável, o suprimento de compostos orgânicos tornou-se limitado; ocorreu a evolução do mecanismo da fotossíntese, que permitiu que as células produzissem os compostos orgânicos de que elas precisavam, partindo dos compostos inorgânicos e utilizando a luz como energia. As primeiras a realizar a fotossíntese, entretanto, eram também bactérias anaeróbicas; nenhuma das formas mais primitivas de fotossíntese gerava oxigênio.

Como, então, a atmosfera da Terra tornou-se impregnada de oxigênio – uma transição totalmente imprevisível pelas leis da química e da física? E quando ocorreu a transição? Para responder a estas questões, temos que observar os organismos que sucederam a bactéria fotossintética mais primitiva. Esses sucessores foram as algas verde-azuis, um grupo equivocadamente chamado de fotossintetizador que não eram algas, e nem sempre de cor verde-azul. Hoje, em reconhecimento à afinidade essencial desses micróbios com outras bactérias, os biólogos empregam o termo bactéria verde-azul ou cianobactéria. Estas cianobactérias foram, provavelmente, os primeiros organismos a desprender oxigênio como um produto residual de sua fotossíntese.

Fósseis apresentam uma evidência direta de que a cianobactéria apareceu, pela primeira vez, há 3,5 bilhões de anos. E uma grande proliferação e diversificação de cianobactérias teve lugar há 2,5 bilhões de anos, um marco que se encaixa perfeitamente com os registros geológicos, nos quais estão rochas de 2 bilhões de anos de idade contendo formas oxidadas de minerais. Depois que os minerais oxidáveis (como o ferro) reagiram com o oxigênio bacteriano, a expansão deste gás reativo na atmosfera da Terra deve ter ocorrido em razão da proliferação dessas bactérias. Nunca antes, nem desde então, os organismos existentes na Terra afetaram tão profundamente a atmosfera.

O surgimento da fotossíntese aeróbica foi uma catástrofe global. Pelo fato de ser tóxico para a vida primitiva, o oxigênio tornou-se um poluente cada vez mais danoso. Da mesma forma que os gases emitidos pelos automóveis, esse poluente ameaçava até mesmo os seus produtores: a cianobactéria. A resolução da crise do oxigênio foi um momento decisivo na história da célula: os micróbios desenvolveram a capacidade de usar na respiração o oxigênio que produziam. Essa solução não somente os protegeu, como também forneceu uma energia adicional, porque a respiração de oxigênio gera muito mais ATP do que a fermentação. Com o tempo, à medida que a concentração de oxigênio atmosférico aumentou, as células de muitas espécies não fotossintéticas desenvolveram o oxigênio necessário para seus processos metabólicos. Esses foram os primeiros aeróbios. Eles passaram a utilizar o oxigênio, potencialmente venenoso, em sua elegante novidade de respiração aeróbica. Dessa forma, as células puderam gerar ATP suficiente para aumentar o seu tamanho e desempenhar funções mais sofisticadas. Cerca de 600 milhões de anos atrás, no início do período geológico Cambriano, houve uma virtual explosão de formas animais de maior porte e de vida ligada à fotossíntese. Seu evidente sucesso foi o resultado das conquistas miniaturizadas dos seus ancestrais microscópicos. Durante várias gerações, acreditou-se que as rochas cambrianas fossem o marco inicial de qualquer registro fóssil. O tempo anterior ao período Cambriano ainda é, frequentemente, apontado nos mapas de cronologia geológica como uma vasta era sem alterações – a "Pré-Cambriana". Sabe-se agora o suficiente sobre aqueles tempos, para reconhecer algumas divisões no Pré-Cambriano: as Eras Hadenínea, Arqueana e Proterozoica. A Hadenínea, cujo nome deriva de Hades, as profundezas escaldantes e caóticas da mitologia grega, estendem-se de 4,6 a 3,8 bilhões de anos atrás. Durante esse tempo, a Terra e sua Lua apresentavam a forma de corpos sólidos. Meteoritos e rochas lunares datam desse período, mas tantos fragmentos atingiram a Terra e houve tanta mistura e fusão de materiais na sua superfície, que não há rochas terrestres que datem da era Hadenínea. A Era Hadenínea estendeu-se de cerca de 3,8 a 2,6 bilhões de anos atrás e testemunhou a formação de cristais de rocha duradouros, o aparecimento da vida no planeta e o desenvolvimento das estratégias metabólicas mais importantes, incluindo a fermentação, a fotossíntese e a capacidade de converter o nitrogênio atmosférico em uma forma utilizável para as células. O início da Era Proterozoica, cerca de 2,6 bilhões de anos atrás, é marcado por uma alteração nas características das rochas da superfície. Esse lapso de tempo estendeu-se até o começo do período Cambriano, cerca de 600 milhões de anos atrás. Durante a Era Proterozoica, as células eucariontes desenvolveram a reprodução sexuada, realizada por um casal, permitindo o surgimento dos ancestrais de plantas e animais. Várias formas de células eucariontes se desenvolveram. Por volta de 1 bilhão de anos atrás, desenvolveram-se as grandes algas de vários centímetros de diâmetro; e bem próximo do final dessa era, cerca de 700 milhões de anos atrás, apareceram os primeiros animais multicelulares de corpo mole. Acompanhando essa escala de divisões do tempo, deu-se o nome de Era Fanerozoica à época representada pelo registro "clássico" de fósseis – os trilobites, os primeiros animais e plantas em terra, as vastas florestas cujos restos constituem nossas reservas de carvão, os dinossauros e os mamutes cobertos de pelos.

Quanto mais se aprende sobre a Terra, mais se percebe que a superfície do nosso planeta foi grandemente alterada em razão da origem, da evolução e do desenvolvimento da vida sobre ela. À medida que se expande, a vida altera a composição, a temperatura e a natureza química da atmosfera e a composição, a estrutura e a diversidade da superfície da Terra. O ambiente da superfície e os organismos nela existentes têm se desenvolvido juntamente por bilhões de anos. Minha narrativa buscou traçar a evolução das células que se tornaram, estrutural e funcionalmente, mais complexas e que possibilitaram o surgimento de muitos grupos de organismos maiores e mais elaborados. Mas seria uma interpretação errônea dos registros evolutivos pensar que esses eventos representam algum tipo de progresso ascendente.

Alguns autores têm afirmado que essa evolução é aperfeiçoada e que conduz a formas de vida "superiores" e, portanto, melhores. É preciso não esquecer que, mesmo há 3 bilhões de anos, os ciclos atmosféricos em perfeito funcionamento eram modulados por organismos. Por volta de 2 bilhões de anos atrás, as cianobactérias haviam produzido drásticas mudanças na atmosfera. É de se duvidar que, desde aquela época, algum organismo tenha provocado qualquer efeito tão profundo sobre o planeta. Se o extenso lapso de tempo do período Pré-Fanerozoico pode ter, alguma vez, parecido vazio de acontecimentos, isso se deveu à falta de instrumentos para examiná-lo. Agora nos damos conta de que essa foi a era dos micróbios procariontes. Sem as suas conquistas – sua adaptação a ambientes hostis, suas trocas com a atmosfera e sua produção de oxigênio – a disseminação espetacular de eucariontes nunca teria sido possível. Sem as atividades ininterruptas dos micróbios procariontes, nem nós, nem os animais e plantas (de que dependemos diretamente) continuariam a existir. Agora nos vemos como produtos de interação celular. A célula eucarionte é formada de outras células; é uma comunidade de micróbios interagindo. As parcerias entre células, antes estranhas e até mesmo inimigas entre si, estão nas raízes da nossa existência. Elas são a base da expansão continuamente ampliada da vida sobre a Terra.

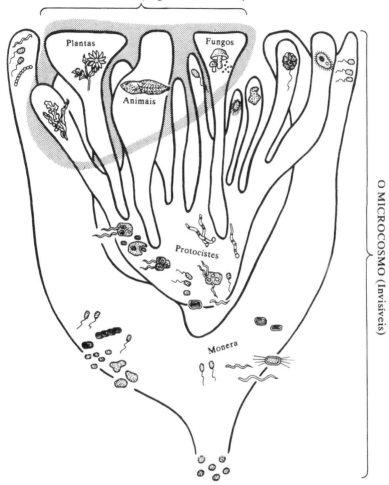

6

HENRI ATLAN

AS FINALIDADES INCONSCIENTES

Há muito tempo que um dos principais problemas em biologia é o das *causas finais*.* A existência deles era óbvia para Aristóteles, sem nenhuma referência à teologia. Todavia, essa questão tornou-se um problema real no século passado, quando os cientistas não queriam aceitar a ideia das causas finais como parte da explicação científica. Neste primeiro momento, não quero entrar no mérito da razão pela qual eles agiam dessa maneira, pois voltarei ao assunto mais tarde. Mas, especialmente em biologia, esse problema era crucial, porque as simples observações dos sistemas vivos impunham a ideia de algum tipo *definalismo*.** Sabemos por antecipação o que vai acontecer a um ovo e tudo parece se desenrolar como se o desenvolvimento do ovo, em direção à sua forma adulta, fosse determinado pelo estágio final, tanto ou até mais do que pelo estágio inicial. Naturalmente, a questão sempre foi a de como explicar essa ideia. Esse era o objeto do grande e clássico debate entre vitalistas e mecanicistas. Os primeiros acreditavam que a única maneira de explicar esse tipo de fenômeno era a aceitação da existência de forças vitais, dirigindo a evolução do sistema vivo em direção ao seu estágio final. Mas os últimos, entretanto, não queriam aceitar essa explicação e preferiam procurar as causas em fenômenos físico-químicos, que pudessem explicar o processo como uma sequência de causas e efeitos.

---

* Em filosofia, condição daquilo em vista de que algo se produz. [N.T.]
** Em filosofia, a atribuição de um fim determinado para todas as coisas. [N.T.]

Ora, quando examinamos outras ciências, como a física, por exemplo, também encontramos vários casos nos quais temos a impressão de estar diante de algo que se assemelha a causas finais. Ali isso não causa um escândalo, como acontece em biologia. Por exemplo, sempre que tivermos uma lei da física exposta por um princípio *extremum,* como uma lei de minimização de livre energia ou a maximização da entropia ou uma lei de minimização de potencial (isto é, sempre que tivermos um fenômeno físico cuja evolução no tempo seja expressa por uma lei matemática estabelecendo que certa quantidade deve alcançar um valor máximo ou mínimo), então, estamos de fato tratando com um tipo de raciocínio finalista: os fenômenos são descritos visando-se ao estágio final, definido pelo valor *extremum*, para prever sua evolução temporal.

Por que, em alguns casos, ninguém contesta o uso de tais leis, que são de certa forma finalistas e, em outros casos, como nos sistemas vivos, não queremos ouvir falar de explicações finalistas? É como se houvesse dois tipos de finalismo nas ciências naturais: um bom e um mau. Ora, o que torna um finalismo bom ou mau? Acho que o que o faz bom ou mau, pelo menos quanto ao pensamento científico, está no fato de estarmos falando de um finalismo consciente e um outro não consciente. A razão pela qual os físicos aceitam explicações baseadas em princípios *extremum* é que esses princípios, antes de mais nada, são descritos dentro de um formalismo matemático razoavelmente bem fundamentado, preciso e explícito. Em segundo lugar, eles não presumem a presença de uma vontade consciente na orientação do processo. Diferentemente, os biólogos rejeitam a ideia das causas finais como explicação da evolução temporal dos sistemas vivos porque o que estará sempre implícito, atrás das forças vitais ou seja lá o que for, é algo semelhante a uma vontade consciente responsável pela orientação do processo temporal.

Resumindo, o conceito do programa genético foi inventado para resolver este tipo de problema em biologia. Este conceito teve um impacto significativo no desenvolvimento da biologia moderna, embora seu valor explanatório seja fraco, como tentei demonstrar. O conceito do programa genético deveria resolver o problema da finalidade consciente *versus* a inconsciente. E a razão por que ela é tão fraca é exatamente a de que não conseguiu fazer aquilo que dela se esperava. Nos anos 1950, Littendrigh foi o primeiro a empregar a palavra "teleonomia" para substituir teleologia, sabendo perfeitamente que não havia diferença no significado literal das palavras. Ele estava propondo uma nova palavra, exatamente para acentuar a diferença entre o que ele chamava de "uma máquina dirigida para uma finalidade" ou um "processo dirigido para uma finalidade" e um processo dotado de propósitos. Naturalmente, a "boa" finalidade deveria ser aquela de um processo dirigido para uma finalidade, enquanto a "má" seria aquela dotada de propósitos. A "teleonomia" deveria cuidar da tentativa de descrever um processo dirigido para uma finalidade e era proposta como um conceito científico, em vez da teleologia, a qual tradicionalmente estava ligada a um propósito.

Ora, apenas alguns anos depois disso, foi proposta a ideia de programas por computador. E, miraculosamente, ela parecia perfeitamente adequada para dar um conteúdo operacional ao conceito da "teleonomia" por duas razões. *Primeira:* o computador, uma máquina determinista dirigida à execução de um programa, parecia ser a efetivação de uma máquina dirigida para uma finalidade, determinista mas visando a uma finalidade, principalmente se você esquecer o programador. *Segunda:* a descoberta do código genético, que ocorreu mais ou menos na mesma época, deu a impressão de que nos sistemas vivos estávamos lidando não apenas com uma metáfora, mas com uma coisa real, desde que a confirmação física para a informação genética estivesse contida em moléculas identificadas. Portanto, havia vantagens na ideia de usar a linguagem da informática para descrever os processos em sistemas vivos. Embora o conceito do programa genético tenha tido um valor operacional importante ao acionar novas experiências e descobertas, ele tem um valor explanatório fraco, na medida em que ainda contém alguma finalidade consciente.

Por que é tão importante deixar de lado a ideia da finalidade consciente na análise de um organismo consciente? Uma razão clássica é uma espécie de economia. Se nós aceitamos que há uma consciência em atividade nos organismos vivos não humanos, assim como algum tipo de princípio vital, e visto que isso é uma coisa da qual não temos nenhuma comprovação, logo fica a necessidade de uma hipótese *ad hoc,* além de não acrescentar muita coisa à compreensão do sistema. Mais ainda, tudo isso nos impede de encetar uma pesquisa mais profunda da bioquímica dos organismos vivos. Portanto, do ponto de vista metodológico, essa é uma hipótese falha. Parece-me que há outra razão, pelo menos igualmente importante, se não mais. Se aceitamos uma consciência superior agindo na organização dos sistemas vivos, num planejamento consciente, a determinação do fim parece semelhante à determinação do futuro. Isso implica a impossibilidade da inovação, a impossibilidade do inesperado. Implica, ainda, a negação do tempo, porque o futuro é determinado por um plano consciente, o qual é em si nada mais que a projeção do passado, mesmo que haja alguma modificação. Portanto, em tal perspectiva, o tempo não pode trazer com ele alguma coisa radicalmente nova ou radicalmente imprevisível. É por isso que a aceitação dessa consciência em atividade nos sistemas vivos ou num âmbito mais amplo, na natureza não humana, tem desvantagens consideráveis.

Um dos mestres judaicos do século XVIII expôs essa ideia de forma muito interessante. Ele estava tentando juntar (aos pares) três diferentes níveis de "almas" viventes com os três períodos de tempo: passado, presente e futuro. A alma era considerada não tanto como uma força física, mas como aquilo que dá vida a um organismo, com vários níveis diferentes – dos quais ele estava descrevendo três. Um dizia respeito à vida não consciente do corpo, outro aos sentimentos e sensações e o terceiro ao intelecto. Assim, o mestre judaico tentava formar pares entre esses níveis ou aspectos com os três períodos de tempo, baseado na ideia de que o tempo e as almas viventes formam um tipo de par que dá vida ao mundo. E a questão era: qual período de tempo estava ligado com qual aspecto? Ora, a associação óbvia, que a maioria das pessoas iria fazer, seria a de colocar o futuro juntamente com o intelecto. Mas isso era exatamente o que ele não desejava. Ao contrário, ele afirmava o futuro é associado com a parte não consciente do corpo. Uma parte inconsciente que mantém o corpo vivo. Enquanto o intelecto diz respeito apenas ao passado e aos sentimentos do momento presente. O argumento para essa afirmação era, simplesmente, o de que o futuro é desconhecido e, portanto, não pode ser associado com o intelecto, que está ligado ao conhecimento. Tudo o que é desconhecido está associado ao inconsciente.

A necessidade de contar com um futuro desconhecido, que traga com ele uma inovação real, é, na minha opinião, o principal motivo para se considerar como hipótese não válida a presença de uma consciência na natureza. É por isso que, na minha opinião, não deveria ser rejeitado – ainda que imperfeito – o conceito de teleonomia na forma do programa genético, como foi desenvolvido em biologia. Não deveríamos voltar a um tipo de abordagem vitalista, porque a teleonomia pelo menos, apesar de todas as suas armadilhas, é o começo da representação de uma finalidade sem a consciência e sem a intenção. Em outras palavras, acho que deveríamos tentar aperfeiçoar o conceito procurando manter ao mesmo tempo as suas duas vantagens, a saber: primeiro, que ele tenta evitar a hipótese *ad hoc* adicional de uma finalidade consciente, um tipo de consciência cósmica presente na filogênese e ontogênese: segunda, e talvez a mais importante como tentei explicar, ele nos permite a possibilidade de ser responsáveis pela experiência de coisas novas, de uma atividade realmente criativa capaz de produzir a inovação somente porque ela é inconsciente!

Entretanto, a falha no conceito do programa genético é que pode iludir, ao dar a ideia de que funciona, essencialmente, como um programa de computador. Infelizmente, muitos biólogos e filólogos da ciência, que tomaram de forma literal a metáfora do programa genético, regrediram, sem o perceber, à atitude vitalista clássica. A única diferença é que, em sua linguagem, Deus e a força vital foram substituídos pela seleção natural. A razão para isso é que a metáfora do programa, se você a considerar literalmente, o levará a perguntar sobre a origem da finalidade, o que corresponde a perguntar: quem é o programador? E a resposta clássica a essa pergunta é: o programador é a seleção natural. Mas o problema é que nós não fazemos a mínima ideia de como a seleção natural pode escrever um programa de computador. Nós não sabemos a linguagem, e o fato de sabermos o código genético nada tem a ver com a linguagem de programação de computador; na verdade isso é, quando muito, um vocabulário. Somente se soubéssemos de que forma um dado genótipo pode expressar-se como um fenótipo definitivo, em um determinado ambiente, saberíamos, aproximadamente, a linguagem de computador do programa genético. Em outras palavras, somente se soubéssemos todos os mecanismos da regulação e expressão genéticas, para um fenótipo em determinado ambiente, teríamos, quem sabe, alguma ideia da linguagem do programa genético. De outra forma não vamos saber, absolutamente, como a seleção natural poderia escrever algo que se parecesse com um programa de computador. É por isso que a expressão seleção natural, como é agora usada, é um tipo de invocação mágica, uma palavra mágica a ser utilizada toda a vez em que alguém tiver que explicar uma determinada organização natural adaptada e finalizada. Essa é outra visão da maneira pela qual podemos ser, inevitavelmente, levados à ideia de que algum tipo de homúnculo, em algum lugar, está agindo com o objetivo de fazer o melhor possível pelo mundo, caso estejamos comprometidos demais com a ideia da programação como uma resposta para a adaptação.

Estes problemas constituem o pano de fundo para a pesquisa, formal ou não, sobre autorregulação. Em outras palavras, exatamente porque não estamos satisfeitos com a ideia do programa genético é que procuramos ver como seria possível conceber outros mecanismos para auto-organização. Se levássemos adiante essa ideia do programa, chegaríamos à ideia de uma quase ficção científica mostrando um programa autorregulável.

Ora, há algo peculiar na ideia de auto-organização que já foi apresentada por Ashby e Heinz Von Foerster, que foram os pioneiros neste campo: é simplesmente que a auto-organização, no sentido absoluto do termo, não existe. Em outras palavras, se você olhar para a organização de um sistema como um conjunto de regras que faz esse sistema funcionar e se você pensar em uma mudança nas regras, então a organização não é apenas um conjunto de regras, mas também aquilo que comanda, que faz esse conjunto de regras funcionar. E a ideia de um sistema auto-organizável permitiria a esse mesmo sistema alterar seu conjunto de regras de tal forma que, por exemplo, a nova organização pudesse ser adaptada a uma outra situação ou para fazer uma coisa diferente. Mas, naturalmente, se o sistema altera o seu próprio conjunto de regras, então estaríamos indagando: quais são as regras que governam a alteração das regras? E essas regras, que governam a alteração das regras, seriam chamadas de organização do sistema, e não seriam alteradas. Então, se o sistema fosse capaz de mudar por conta própria as regras que mudam as regras do sistema, novamente iríamos indagar sobre as leis de mudança de mudanças das regras. E sempre acabaríamos por encontrar alguma coisa que não mudasse. Portanto, um sistema inteiramente auto-organizável não pode existir; uma coisa que mude as regras deve vir de fora e, se é assim, não há razão para falar de auto-organização. Entretanto, duas coisas diferentes podem vir de fora. Uma é um programa, isto é, um conjunto de regras dizendo ao sistema como ele deve alterar seu conjunto de regras – e então, evidentemente, não há razão para considerar o sistema como auto-organizável. A segunda possibilidade se dá quando aquilo que vem de fora não for um programa, mas apenas perturbações casuais. Em geral, as perturbações casuais são consideradas como algo que não é recomendável para um sistema organizado. Pensava-se que elas apenas seriam capazes de desorganizar um sistema, causar mais desordem nele. Ora, se alguém puder pensar em um sistema no qual as perturbações casuais resultam não somente em desorganização, mas também produzem uma mudança na organização do sistema, de tal forma que o sistema não somente continue a funcionar, mas o faça de uma maneira diferente (talvez, por exemplo, uma maneira mais apropriada a um ambiente diferente), então, tal sistema poderia ser chamado de auto-organizável, embora não no sentido exato da palavra.

A questão agora é a seguinte: como podem existir tais coisas? Não desejo parecer demasiado técnico, mas isso foi descrito por Von Foerster, sob o título de "A ordem causada pelo ruído". Ampliei um pouco a ideia e a chamei de "A complexidade causada pelo ruído", porque me parece que assim fica mais fácil de entender. A ideia principal desse trabalho é a seguinte: vamos imaginar uma rede de elementos de comunicação. Algumas perturbações casuais (chamadas de ruído, na teoria da comunicação) vão afrouxar as tensões nessa rede, criando alguma ambiguidade nas comunicações. Todavia, este efeito prejudicial – o fato de ser criada alguma ambiguidade – naturalmente reduz a informação transmitida de um elemento para outro. Mas, por outro lado, este mesmo efeito, a mesma ambiguidade, pode ser considerado positivo e pode ser visto um nível de organização diferente e mais integrado. Segundo os conceitos deste nível mais alto de organização, o afrouxamento das tensões pode resultar numa organização diferente e com mais diversidade. E esta nova organização pode ter propriedades de adaptação mais firmes e diferentes. (Naturalmente, isso só pode ser verdade até certo ponto, e no caso de o sistema ser redundante o suficiente para poder continuar a funcionar). Isso quer dizer que quando você passa de um nível a outro você tem uma mudança no sinal, de negativo para positivo. E isto surge, nos estudos formais, como uma mudança no sinal algébrico de uma quantidade chamada ambiguidade, a qual, embora negativa no nível elementar, aparece como positiva em um nível mais integrado. Em outras palavras, você começa observando as diversas partes elementares interligadas entre si. Então você agita-as ao acaso e destrói as ligações entre elas, criando assim mais desordem. Mas esta desordem adicional pode ser vista com mais complexidade (até um certo ponto, se o sistema continua a funcionar). Isso quer dizer que as conexões entre os elementos foram reorganizadas e são vistas agora, no nível mais integrado, como a formação de uma nova organização com menos conexões. Esta condição de possuir menos conexões significará apenas mais desordem, se a nova organização não funcionar. Mas significará complexidade se ela funcionar de alguma forma.

Ora, esta troca de sinal parece ser apenas um caso em particular de algo mais geral e, até certo ponto, mais trivial, que está relacionado ao que acontece quando alguém vai de um nível elementar de organização para um nível integrado. Sempre que formos de um nível para o outro, encontraremos um tipo de transformação nas relações entre elementos que são vistos como entidades separadas de um nível e unificadas no outro. Se você observar, por exemplo, como os átomos são ligados para formar moléculas, você vai descobrir que o que torna os átomos diferentes entre si e facilita a sua separação é, precisamente, o que lhes permite associar-se para produzir moléculas. O mesmo é verdadeiro se você observar as moléculas associadas para produzir estruturas supramoleculares ou estruturas celulares. Se você quiser fazer uma distinção entre um elemento e outro, então você os examina, um de cada vez, e tenta identificar algumas propriedades que os torne diferentes entre si. Mas quando os mesmos elementos são colocados juntos para produzir uma unidade mais integrada, então essas mesmas características, que ajudam a distinguir um do outro, tornam-se a origem do vínculo que os une e que os transforma em uma unidade mais integrada. Assim, sempre que vamos de um nível, parece que somos forçados a mudar nosso ponto de vista: deixamos de observar as características dos elementos individuais, de uma forma que nos ajuda a distingui-los um do outro, e passamos a observar essas mesmas características, mas agora para ver como eles são associados a fim de criar o novo nível de organização.

Gostaria de voltar a esse assunto mais tarde, mas o que vou destacar agora é que aqui, neste ponto crucial em que estamos lidando com a articulação de um nível em relação a outro, também encontramos um problema complexo que pode ser exposto nos termos da teoria da informação, como a criação do significado. Para não me estender demais, quero apresentar essa ideia de uma forma bastante esquemática. Se um sistema entra em funcionamento, então deve haver troca de informações, evidentemente, com o ambiente à sua volta mas, também, com o próprio sistema. E, no interior do sistema, deve haver troca de informação não somente entre as partes que o constituem mas, também, entre os níveis de organização. Entretanto, na maioria dos casos, não temos acesso a este último tipo de transmissão de informações. Não sabemos como um nível se comunica com outro. E não conseguimos saber isso por uma razão muito simples: porque somos nós que estamos criando os diferentes níveis, através das diferentes técnicas de observação e experimentação. Portanto, o que acontece entre esses níveis é absolutamente obscuro para nós, desde que não temos o acesso devido.

Essencialmente, o que está contido na ideia da "complexidade causada pelo ruído" é o seguinte: nesta situação, na qual nos colocamos como observadores de um sistema dotado de níveis diferentes, o afrouxamento das tensões em um nível criará uma complexidade funcional, em vez de mera organização dada a condição de que a complexidade será mantida em um nível diferente e mais integrado. Em outras palavras, esta ideia implica que as novas relações criadas pelo afrouxamento serão integradas na nova organização, com mais diversidade e menos redundância. Mas, somente sob a condição de que haverá uma maneira funcional de conseguir tal coisa. (É por isso que esta é uma teoria de condições necessárias e não de condições suficientes, porque ela é baseada na ausência de conhecimentos que temos sobre como o sistema consegue organizar a si próprio. Por exemplo, entre outras coisas, a elevada redundância inicial – que é uma condição necessária para a auto-organização – não é com certeza uma condição suficiente. Além disso, o sistema precisa ser capaz de utilizar a nova organização, isto é, o sistema precisa ser capaz de reorganizar de maneira funcional o novo estágio de conexões.) Assim, a auto-organização, vista como uma desorganização induzida pelo ruído e seguida por uma reorganização, não pode existir sem uma integração entre os diferentes níveis. E, de fato, descrever a auto-organização como o aproveitamento do ruído para criar uma complexidade funcional corresponde a descrever a criação de um novo significado, ainda uma incógnita para o observador, mas um novo significado nas informações transmitidas de um nível para outro. Todavia, a descrição é feita de uma forma negativa porque, quando efetuada dentro do formalismo da teoria da informação, ela utiliza-se de um formalismo do qual está explicitamente ausente o próprio significado da informação, embora sua existência esteja sempre implícita no funcionamento real de um sistema organizado. Em outras palavras, o que para o observador distanciado parece um acaso organizacional, *le hasard organisationel,* é na realidade a criação de um novo significado entre um nível e outro do sistema – significado esse que ainda é uma incógnita para o observador. Assim sendo, parece-me que este problema, da articulação de um nível em relação a outro, constitui as fronteiras do nosso conhecimento científico.

Agora permitam-me voltar a uma mudança de âmbito mais geral, aquela que vai da separação para a reunião, porque, na minha opinião, ela pode revelar os aspectos mais amplos da organização de sistemas. Quando você está interessado nos elementos, individualmente, você tenta estabelecer uma distinção entre eles e assim definir o quanto são diferentes entre si. Mas quando você está interessado em saber a forma como todos esses elementos são combinados para produzir uma unidade integrada, então você é forçado a atentar para o que eles têm em comum. E acontece que essas duas posições são iguais. A fim de constituir uma unidade mais integrada, os elementos são forçados a colocar em comum precisamente aquilo que os torna diferentes. Até certo ponto, isso é uma coisa trivial que corresponde a apenas uma mudança de ponto de vista. Entretanto, o que é menos trivial é a relação entre duas coisas: primeira, a transformação de separação para reunião, que acontece entre dois níveis; segunda, o surgimento de novas propriedades no nível de âmbito mais geral, em comparação com aquele mais elementar. E você encontra esse tipo de relação em toda parte. Encontra-o quando vai de átomos para moléculas, de moléculas para células, de células para organismos e assim por diante. Por exemplo: quando você vai de átomos para moléculas, novas propriedades da matéria são reveladas, a existência de afinidades químicas ou, mais genericamente, as propriedades químicas da matéria, que são novas se comparadas às propriedades físicas dos átomos. A mesma coisa acontece quando vamos das moléculas às células: emerge alguma coisa nova, as propriedades cibernéticas e organizacionais da organização celular ou as propriedades biológicas das células, que são novas quando comparadas às propriedades químicas das moléculas. A mesma coisa acontece novamente quando você se move das células para os organismos e descobre as propriedades fisiológicas e diferenciais do organismo, que são novas quando comparadas às propriedades das células; e assim por diante. As propriedades psicológicas e comportamentais da conduta animal e da mente humana são novas se comparadas às propriedades psicológicas do cérebro.

A esta altura, você deve ter notado que, na verdade, o surgimento de novas propriedades específicas em um determinado nível implica a existência de uma nova disciplina científica: física, química, biologia celular, fisiologia celular, psicologia. geologia, "gaiologia" etc. E eis aqui uma questão muito importante: até que ponto são reais os diferentes níveis de organização e até que ponto eles são o resultado de diferentes técnicas de observação: é óbvio que o papel que essa operação representa é muito importante, como fica evidenciado pela ideia que temos da célula viva. Certamente que ninguém jamais viu uma célula viva da forma como a representamos para nós mesmos, porque essa representação é uma reconstrução e superposição mental de todos os tipos de propriedades que são observados em níveis muito diferentes. Tudo o que sabemos sobre células vivas vem da bioquímica, mas a bioquímica implica a destruição da célula; ou vem de diferentes técnicas de investigação microscópica, algumas das quais não destroem a célula viva e algumas das quais destroem. Cada uma dessas técnicas revela um grande número de informação sobre o que é a célula viva. Mas é impossível observar os diferentes níveis de organização juntamente com a mesma precisão. Se você quiser observar a célula ao nível de sua estrutura molecular, você tem que se utilizar da bioquímica, e então você destrói a célula. Se você quiser observá-la pela microscopia eletrônica, então você perde uma considerável carga de informações sobre a bioquímica e assim sucessivamente.

Parece que cada técnica de observação é capaz de enfocar apenas um nível e não os demais e que é a nossa reconstrução mental que consegue juntá-los. Então a questão é saber como as articulações entre os níveis pode ser representada, desde que não podemos ter acesso a elas através de um processo de construção. Essa é uma questão que não encontra resposta, visto que os níveis de organização são criados por nossos meios de observação, e as articulações entre eles, portanto, estão além da nossa capacidade de observação. Entretanto, talvez seja neste ponto que se encontre, aparentemente, a origem da autonomia de um sistema vivo. Já vimos o que pode ser dito indiretamente a respeito desse ponto: é um lugar onde parece acontecer uma troca de sinais ou uma transformação da separação para o reunião; é também o lugar da criação do novo significado, característico da auto-organização e assim por diante. Mas todas essas coisas são apenas descrições formais e, num certo sentido, são apenas modos diferentes de dizer que não temos acesso direto a essa área. Ora, é interessante observar que toda essa situação pode ser mudada, de um dia para outro, se forem descobertas novas técnicas que permitam acesso a esta coisa que foi vista como um ponto de articulação entre um nível e outro. Tivemos um exemplo espetacular desse tipo de mudança com o que aconteceu

116

quando do advento da biologia molecular. Houve, neste caso, um longo período em que tivemos que lidar com dois níveis diferentes de organização, que eram ao mesmo tempo duas disciplinas diferentes: química e biologia. Estas duas disciplinas não tinham nada em comum, no que dizia respeito às técnicas, nem quanto à linguagem de suas teorias. Era impossível, portanto, compreender como um nível poderia ser responsável pelo outro ou poderia ser articulado partindo do outro. O vazio existente entre a química e a biologia celular foi o que provocou problemas teóricos em biologia por longo tempo, até que se descobriram algumas técnicas para analisar a estrutura de macromoléculas e para se saber como elas se duplicam, como produzem polimerizações em uma ordem específica, da mesma forma em que ocorre nas células vivas, e assim por diante. O resultado imediato foi que aquele vazio entre a química e a biologia celular pareceu ter desaparecido, pois as técnicas recentemente descobertas foram aplicadas para esse fim. Na realidade, isso não era totalmente verdadeiro. O vazio não desapareceu porque, logo que as novas técnicas foram descobertas, uma nova disciplina se criou e foi chamada biologia molecular. E ela desenvolveu técnicas de observação, um arsenal teórico e uma linguagem próprios. Então a questão ainda permanece, ou melhor, novas questões surgiram, sobre como este campo, o nível da biologia molecular, vai se relacionar com o o nível da química, por um lado, ou com o da biologia celular, por outro. A impressão é de que estamos envolvidos num jogo sem fim: ou existe um nível de articulação entre os níveis a que não temos acesso ou se descobrimos um acesso, ao fazê-lo, criamos um novo nível com duas novas articulações para as quais não teremos acesso. Todavia, alguém poderá dizer que poderá haver alguma vantagem porque, sempre que isso acontecer, aquele vazio ficará menor. Podemos ver isto como um processo assintótico, que terá um fim apenas no infinito, de preenchimento parcial desses vazios, tornando-os menores, enquanto novas lacunas se formam entre as disciplinas.

A linguagem é um outro exemplo de uma nova disciplina preenchendo, parcialmente, essas lacunas de articulação entre dois níveis de organização e criando duas novas lacunas com novas indagações – as quais esperamos sejam menores.

Entretanto, a observação da linguagem, deste ponto de vista, apresenta várias características interessantes. Em primeiro lugar, a linguagem pode ser vista como localizada entre dois níveis diferentes de organização, a saber, entre corpo e pensamento ou entre corpo e mente, se assim o preferirem. Isso quer dizer, numa forma mais positivista, entre a física e a psicologia. Em outras palavras, se quisermos considerar os níveis de organização como ontológicos ou apenas como resultado de disciplinas, da mesma maneira, a linguagem aparecerá como intermediária entre corpo e mente ou entre a física e a psicologia. Então, da mesma forma que aconteceu com a biologia molecular, a linguagem tornou-se um nível de organização e o objeto de uma disciplina científica. Além disso, e provavelmente este seja o aspecto mais interessante, é através da linguagem que todos os demais níveis são descritos.

Finalmente, num processo recursivo, a linguagem é em si um sistema auto-organizável de múltiplos níveis, onde mais uma vez encontramos o problema da articulação entre níveis diferentes. No âmbito da linguagem, é possível descrever vários níveis de organização: o nível semântico das palavras (isto é, seu significado), o nível sintático das sentenças (isto é, as regras pelas quais as palavras são combinadas para formar as sentenças), o aspecto semântico das sentenças e assim por diante. Da mesma forma, se você olhar na outra direção encontrará a sequência de diferentes níveis dentro da própria palavra. Se você levar em conta o nível no qual sinais diferentes se associam para produzir uma palavra, você encontrará um tipo de sintaxe; em letras ou sinais você também encontrará um tipo de semântica, embora bastante elementar, na qual letras ou sinais são vistos com seu significado individual, como acontece no caso dos ideogramas. É interessante notar que, sempre que formos de um nível para outro, seremos forçados a passar de um aspecto para outro. Por exemplo, se olharmos para as letras, individualmente, como sinais dotados de um tipo de significado ideográfico, como é o caso do Hebraico, então esse significado é esquecido tão logo esses sinais sejam combinados para formar palavras. E novas entidades são criadas em um novo nível, aquele das palavras. Acontece a mesma coisa quando vamos das palavras para as sentenças, das sentenças para o discurso e assim por diante. Agora, convém indagar como um nível se articula em relação a outro, todas as vezes que encontrarmos o mesmo tipo de fenômeno a que me referi há pouco, ou seja, uma transformação da separação para a reunião. O que torna diferentes as letras, quando separadas umas das outras, é precisamente o que permite que sejam colocadas juntas numa palavra. Da mesma forma, aquilo que causa a distinção entre as palavras é que as reúne para formar sentenças. Assim, finalmente, é nessa interação entre os diferentes níveis que parece tomar forma o significado do todo. E se nos perguntamos onde podemos encontrar o significado da linguagem, então chegaríamos a uma ideia estranha mas sugestiva, de que ele pode ser encontrado nos espaços em branco, entre as palavras, ou nos desvãos entre as letras. Esta ideia, que encontrei em um escrito cabalístico do início do século – embora não exatamente no contexto que inseri aqui – é uma forma aparentemente paradoxal de sugerir que o significado não pode ser encontrado em um determinado lugar como uma coisa estática. Ao contrário, ele é criado como o resultado de um processo de auto-organização da linguagem. E a articulação entre os níveis é a parte crucial neste processo.

Para resumir, as fronteiras do conhecimento serão encontradas não somente na vastidão do infinito, como em geral se acredita, mas nos vários níveis de organização da realidade. É importante compreender que estes níveis diferentes correspondem a campos diferentes de conhecimento. Suas técnicas e suas dissertações são diferenciados e eles não se tocam em seus limites, onde estão articulados separadamente. Dispomos apenas de alguns meios bastante limitados para falar sobre essas articulações porque elas surgem entremeadas nos diferentes campos do conhecimento científico e, portanto, não podemos ter acesso direto a eles. Todavia, é neste lugar, que às vezes não conseguimos localizar, que deve se encontrar a origem da autonomia de um sistema complexo. Como já vimos, é igualmente nesse ponto que parece dar-se a criação do significado, com sua característica de autorreferência. Provavelmente, seja por esse motivo que aquilo que encontramos nessas fronteiras, como uma espécie de sombra, é a dúvida sobre a condição recursiva do próprio ser.

A esta altura, entretanto, devemos ser cautelosos para não cairmos na armadilha de um desvio espiritualista, que nos levaria a agir como se soubéssemos o que é o ser, partindo de nossa experiência subjetiva de autoconhecimento. O ser do qual estou falando não é necessariamente humano e, portanto, num âmbito bastante amplo, é inconsciente. Da mesma forma, estamos tentanto compreender objetivamente, por assim dizer, o que se estende por significado em sistemas não humanos de comunicação, de modo que nossa experiência subjetiva de "significado e ser" se mostre como um caso à parte, dentro de alguma coisa de alcance mais geral. Um bom exemplo desse ser não humano é apresentado pelo ser molecular e celular do sistema imunológico ou por um programa de computador que fosse capaz de programar a si mesmo. Sob este ponto de vista, o que caracteriza nossa subjetividade, como um caso à parte, é a posição privilegiada do observador colocado, ao mesmo tempo, dentro e fora do sistema. Não há redundância em se levar em conta o papel do observador, para caracterizar a subjetividade, porque o observador de que estou falando não é a nossa subjetividade: ele é o assim chamado observador físico ideal, isto é, um tipo de conjunto idealizado de operações, de medida e de combinações dessas operações através de relações lógicas. Assim sendo, não estamos lidando aqui com uma redundância lógica, mas com um fenômeno recursivo, no qual a linguagem representa um papel fundamental por meio de suas três características, como já vimos: a linguagem (falada e escrita) é encontrada na articulação entre dois níveis de organização, a mente e o cérebro. Ao mesmo tempo, ela é o instrumento por meio do qual este e todos os níveis são descritos e analisados; é, novamente ao mesmo tempo, em si mesma todo um sistema auto-organizável com vários níveis.

Finalizando, gostaria de acrescentar que a ênfase no tema das finalidades inconscientes, em nossa experiência do mundo, não quer dizer que eu esteja defendendo uma filosofia de "arbítrio cego". Minha opinião é de que nossa consciência é eficiente para ter uma ideia de si mesma e agir dentro da realidade. Em outras palavras, nossa razão humana e mente humana é de fato eficiente para enfrentar a realidade e seria pouco inteligente desprezá-la. Entretanto, ela é eficiente de modo limitado e acho que as limitações de nossa capacidade de análise, limitações essas que são encontradas nas articulações entre os diferentes níveis de auto-organização, são favoráveis. São favoráveis porque mantêm a possibilidade de surgimento da inovação, do imprevisto. É nessa junção, que torna criativo o tempo, que divisamos como uma sombra aquilo que poderíamos chamar de *autoinconsciência,* não necessariamente humana. E podemos alcançar essa junção por meio de três diferentes caminhos: um que explora o papel organizável representado pelo acaso; outro que explora o papel da criação do significado; e o terceiro, da autonomia do ser, que consegue reunir o conhecedor, o conhecido e o conhecimento.

PARTE II

A Visão Política de Gaia

7

JOHN TODD

UMA CATEGORIA ECONÔMICA BASEADA NA ECOLOGIA

Estive com E. F. Schumacher pouco antes de sua morte, num oportuno congresso de tecnologia na ilha indonésia de Bali. Embora conhecesse Fritz havia vários anos, a mais carinhosa recordação que tenho dele é de uma viagem juntos pelo interior de Bali. Estávamos então visitando um projeto internacional de desenvolvimento que incluía uma moderna instalação de cultura de peixes. Ao contrário das outras culturas de alimentos da ilha, esta piscicultura experimental parecia alienígena, com suas cercas, seus lagos retangulares e sua separação das áreas de agricultura e das aldeias. À semelhança de uma prisão, do tipo que conhecemos, ficava separada da malha comum da cultura balinesa.

Mais tarde, naquele mesmo dia, fomos visitar um templo.

A água, as árvores, a arquitetura e os jardins expressavam uma profunda harmonia e uma sensação que me parece como uma fusão entre a mente, a natureza e tudo o que é sagrado. Enquanto o sol se punha, Fritz falou sobre como as árvores eram os mais poderosos dos instrumentos de transformação e que plantá-las e cuidar delas era um ato fundamental. Em sua opinião, as árvores eram o ponto de partida para se criar igualdade social e biológica entre os povos e as regiões da Terra.

Esta nossa conversa inspirou algumas das ideias que vou expor a seguir. Tenho para com E. F. Schumacher uma dívida:

ele me ajudou a ver a economia como algo em que as pessoas e a natureza são importantes. Consequentemente, passei a acreditar que se pode estabelecer uma nova e sustentável ordem econômica a partir de empresas fundamentadas na ecologia. E ainda, as bases conceituais dessas empresas são semelhantes, quer seja quando aplicadas em nações industriais ricas ou em países tropicais mais pobres. Se esta tese é correta, então a ecologia aplicada tem o potencial intrínseco de eliminar as antigas divisões entre norte e sul, industrial e agrário, ricos e pobres. Isso porque o conhecimento ecológico pode ser aplicado universalmente e, igualmente importante é o fato de que pode, muitas vezes, substituir diretamente o capital e os recursos não renováveis. No mesmo sentido com que Fritz Schumacher se referiu às árvores, ele consegue aumentar a igualdade numa escalada global.

A ecologia como base para planejamento é a estrutura desta nova ordem econômica. Deve ser combinada com a ideia de que a Terra é vista como um ser sensível, uma visão *Gaia* do mundo, e nossas obrigações como seres humanos não são apenas para conosco, mas para com a vida como um todo. O respeito para com a Terra faz com que ela se torne a estrutura maior na qual estão inseridos planejamento e tecnologias ecológicas. Um dia os sistemas sociais e políticos conseguirão espelhar as grandes obras da natureza e as atuais divisões de esquerda, direita, sistemas centralizadores, sistemas expansionistas, conservadores, sistemas biorregionais, estado- -nação serão transformados numa organização e numa categoria *Gaia* sistêmicas e de âmbito mundial.

Porém, a mudança, ainda que numa escala *Gaia*, deve começar com pequenas medidas, tangíveis e concretas. Quando comecei, pela primeira vez, a trabalhar com conceitos ecológicos que poderiam servir à humanidade, no New Alchemy Institute (Instituto de Alquimia Moderna), estabeleci, juntamente com meus associados, a seguinte questão: "A natureza pode ser a base para planejamento? Há modelos ecológicos que provem isso?"

Começamos com os alimentos e concordamos que o modelo agrícola mecanicista contemporâneo fracassaria, a longo prazo, na tarefa de alimentar o planeta. Procuramos outros modelos que servissem de orientação. Foram as grandes obras da natureza que nos forneceram as pistas. Tentamos encontrar diversos lugares onde a natureza é extremamente generosa, fizemos uma lista detalhada daqueles atributos particularmente exclusivos destes lugares. Os padrões foram surgindo, gradativamente, e esse esforço provou ser bastante produtivo. Procuramos, também, por lugares que o homem tem tido um cuidado especial, ou seja, ele tem sido generoso há milênios. Isso foi bastante significativo porque o homem, geralmente, destrói seu capital biológico. Queríamos aprender o que as culturas estáveis sabem a respeito do cuidado com suas terras.

Uma fazenda perto de Banding, na região central de Java, forneceu muitas pistas. Ela havia mantido e, possivelmente, aumentado sua fertilidade através dos séculos. A fazenda estava localizada na encosta de uma colina que era particularmente vulnerável à erosão. Evitava-se a erosão através de métodos que imitavam a estratégia de controle de erosão mais eficiente da própria natureza, qual seja, rampas cobertas de árvores. Não era uma floresta virgem e sim uma floresta doméstica, na qual a biota era constituída de frutas, nozes, lenha e forragem, úteis aos seres humanos. No entanto, possuía um pouco da integridade estrutural encontrada nas florestas virgens. Sem as árvores recobrindo as colinas, teria sido muito difícil manter a fertilidade do solo. A água da fazenda era proveniente de um aqueduto que ondeava pela encosta. Vinha de uma fazenda que ficava mais acima e chegava num estado relativamente limpo e puro. Depois de entrar na fazenda ela apresentava-se numa pequena distância, intencionalmente poluída, primeiro, ao passar diretamente sob os estábulos e, depois, embaixo dos sanitários da casa.

Embora pudesse parecer repugnante à primeira vista, o esgoto doméstico e dos animais era, então, utilizado de uma forma inteligente. A parte sólida sofria "digestão" por alguns peixes cuja única função visava proporcionar o tratamento primário do lixo. O esgoto carregado de nutrientes era, então, aerado e exposto à luz, ao passar por uma pequena queda-d'água. Os tratamentos secundário e terciário eram agrícolas. O esgoto servia para irrigação e fertilização de legumes plantados em canteiros elevados. A água rica em nutrientes fluía pelos canais e passava ao solo pelas laterais, para alimentar as raízes. É importante observar que o esgoto secundário não era aplicado diretamente à plantação, mas ao solo. A água proveniente dos canteiros elevados vinha livre de nutrientes e, pelo menos, numa condição equivalente ao nosso tratamento terciário. Fluía, então, para um sistema que necessita de água pura, qual seja, um pequeno viveiro para filhotes de peixes. Aqui no tanque do viveiro os filhotes começavam o ciclo de adubação novamente, ao fertilizar levemente a água com seus dejetos. Este processo desencadeava o crescimento de algas e animais microscópicos que ajudavam na alimentação dos filhotes. Tal biota era também levada pela corrente para acrescentar nutrientes e servir de alimento aos peixes maiores criados nos tanques existentes mais abaixo. Esses tanques assim enriquecidos, fertilizavam as plantações de arroz que se estendiam adiante. Este arroz, que crescia rapidamente, utilizava os nutrientes e purificava a água, antes de liberá-la novamente para o tanque da comunidade situada mais abaixo.

O que mais chamava a atenção nesta fazenda era que ela constituía um completo microcosmo agrícola. Havia nela um equilíbrio não conhecido nas fazendas ocidentais. As árvores, o solo, as plantações de hortaliças, a criação, a água e os peixes eram todos interligados para criar todo um sistema simbiótico, no qual não se permitia que nenhum elemento dominasse. Tal sistema, ainda que maravilhosamente eficiente e produtivo, pode ser prejudicado pelo mau uso. Uma única toxina, um pesticida, mata os peixes e desequilibra o sistema. A lição aqui é que podemos criar agrossistemas ecológicos e deixar que a natureza faça a reciclagem; como, também, podemos produzir quimicamente um sistema complexo e, no final das contas, destruir a estrutura básica. Na *New Alchemy*, quando começamos a projetar ecossistemas para a agricultura, tentamos manter intactas as relações biológicas da fazenda de Java. Até mesmo muitos anos depois as incursões marítimas rendiam homenagem àquelas gerações de fazendeiros javaneses.

As lições vêm de todas as partes do mundo, até mesmo de lugares ameaçados. Nas palavras de Shakespeare: " ... sermões nas pedras, livros nos riachos que correm, e o bem em tudo". Por todo o mundo os solos estão morrendo. Devastação de florestas, excesso de uso do solo para pastagem, queimadas e erosão... estes são os principais vilões. Para compreendermos a importância do solo e como estamos ligados a ele, temos que compreender que o solo é algo vivo, um metaorganismo composto por inúmeras espécies diferentes de criaturas vivas. Quando exposto à luz do sol, à ação dos ventos e à mineralização torna-se mais e mais destituído de vida e poroso e perde assim sua capacidade de reter a água da chuva na camada próxima à superfície. Grande parte dos desertos que se alastra hoje pelo mundo é o resultado da crescente porosidade do solo, cada vez mais destituída da valiosa vida microscópica.

Talvez seja a restauração e a recriação do solo um dos grandes desafios que a humanidade enfrenta hoje. É preciso que se devolva ao solo sua matéria orgânica, o húmus, e sua capacidade de reter a umidade. As economias do mundo não poderão se manter por muito tempo se não tiverem solos saudáveis.

Há vários anos visitamos um atol nas Seychelles no meio do Oceano Índico. O solo das ilhas de coral não retém água, já que é sabidamente poroso. A água da chuva escoa rapidamente através do solo e fica armazenada em lençóis subterrâneos. Os cem habitantes do atol que visitamos tinham praticamente esgotado a água doce armazenada e a água salgada já estava começando a invadir e contaminar a água potável. Dentro de poucos anos, estes habitantes teriam que abandonar suas ilhas.

Aparentemente, o problema não tem solução mas, na verdade, ele poderia ser evitado se, de algum modo, fosse possível criar-se reservatórios impermeáveis que armazenassem a água da chuva durante as monções. Porém, o solo era poroso demais para se considerar viável esse tipo de solução. No entanto, eu me lembrei da pesquisa realizada por dois biólogos que tinham descoberto uma estranha anomalia na Rússia. Descobriram que lagoas ou pequenos lagos eram encontrados em topos de colinas compostos por acúmulos de cascalho. Uma vez que o solo subjacente era incapaz de reter a água da chuva, deveria haver um mecanismo que vedasse estes lagos de tal forma que eles recolhessem e retivessem a chuva. A partir daí, descobriram um processo relativamente raro no qual micro-organismos, juntamente com matéria orgânica, combinam-se na bacia natural que, então, retinha a água. Esse processo foi chamado por eles de formação "gley" (oblíqua).

Decidimos imitar no atol o processo descoberto pelos biólogos russos, agora num meio ambiente bastante diferente, como era a ilha tropical de coral. Se as condições estivessem favoráveis, esperávamos que a formação oblíqua ("gley") ocorresse dentro de pouco tempo. O desafio consistia em consegui-las do modo adequado. Cavamos um pequeno tanque com uma enxada. Descobrimos que as cascas de coco contêm carbono e fibras necessárias. Cortamos as cascas em tiras, para fazer uma camada de seis polegadas sobre o fundo e os lados. Como fonte de nitrogênio, colhemos mamões selvagens, encontrados por todo o atol, dos quais cortamos em pedaços bem pequenos, os caules, galhos e frutos. Foram colocados numa camada de seis polegadas por sobre as cascas. Finalmente, colocamos seis polegadas de areia por cima das cascas dos mamões. Os biólogos russos haviam descoberto que a camada oblíqua ("gley") se forma na ausência de oxigênio, portanto, nós vedamos o tanque para deixar sair o oxigênio. Bombeamos uma pequena quantidade de água do subsolo para encher o fundo. Para nossa grande alegria, quando as chuvas de monções chegaram, pouco tempo depois, o tanque encheu-se de água da chuva, que lá ficou.

Aquele tanque é, hoje, uma fonte de água para irrigação, o lar para uma cultura de peixes e um porto para aves selvagens e, até mesmo, pássaros migratórios. Esta experiência abre todo um leque de possibilidades ecológicas e econômicas. Não só as ilhas de coral podem ser ecológica e socialmente diversificadas, como também este mesmo processo pode ser usado onde quer que haja necessidade de se armazenar chuvas sazonais. Posso prever, por todas as partes do mundo, paisagens antes estéreis, alimentadas agora por pequenos alagamentos criados pelas formações oblíquas ("gleys") que são o epicentro na restauração de meio ambientes danificados.

A nova fonte de água doce foi a inspiração de um experimento realizado com o objetivo de tomar o solo do atol, alcalino e pobre em nutrientes, capaz de abrigar outras plantações rentáveis, além de coco. O solo tinha sido devastado por queimadas e tempestades oceânicas e sua composição continha até 90% de carbonato de cálcio. Um criativo ecologista do solo, o canadense Stuart Hill, que estava conosco, achava que o solo da ilha poderia se tomar produtivo por meio do uso de adubo composto. O adubo composto pode ser usado para restaurar o solo ou pode até mesmo funcionar como um substituto do solo, na medida em que age da mesma forma que a troca de cátions de solos bons e que é uma forma bastante estável de matéria orgânica. O adubo composto pode trazer outros benefícios às ilhas de coral. Ele libera hormônios vegetais, especialmente os citocinéticos, os quais, por sua vez, estimulam as plantas a produzir raízes maiores e com mais ramificações. O adubo composto é também um substrato fundamental para as bactérias que fixam o nitrogênio e para as algas verde-azuis e dessa forma fornece nitrogênio atmosférico para as plantas. As algas verde-azuis são, também, uma excelente fonte de nutrientes.

Stuart Hill nos mostrou que o adubo composto pode desempenhar outro papel fundamental nos solos alcalinos. Ele libera ácidos orgânicos que, se aplicados ao processo de decomposição no momento certo, proporcionam um solo neutro. Como resultado de seu trabalho, foi desenvolvida a plantação de hortaliças e frutas para diversificar a dieta dos moradores da ilha. Stuart descobriu que a ilha carecia de vários minerais essenciais, em especial o manganês, o boro e o ferro, que inicialmente tiveram que ser importados. Nossa estratégia, a longo prazo, seria a busca de seres marinhos naquela área, que concentram estas substâncias, as quais deveriam ser acrescentadas ao adubo composto. A autossuficiência em nutrientes é um objetivo importante, particularmente para regiões do mundo onde o intercâmbio com outros países é escasso ou inexistente.

Os ensinamentos de Java e as experiências nas Seychelles são apenas dois dos exemplos que forneceram informações para o trabalho da New Alchemy e, a partir de 1980, também para nossa mais nova organização, a Ocean Arks International.

Na verdade, ao elaborar seus projetos, todas as nossas tecnologias ecológicas tomaram emprestadas as características combinadas de três fontes: o conhecimento de ecossistemas, a ciência dos materiais e a sabedoria do fazendeiro javanês ou das técnicas dos antigos maias da América Central. Estes últimos, com sua *chinampa* ou agricultura "flutuante", supriram cidades densamente povoadas. Uma destas tecnologias é o módulo de fazenda aquática. O desenvolvimento desta tecnologia teve início, sob minha direção, no New Alchemy

Institute, em 1974. Em resumo, um módulo de fazenda aquática é um cilindro capaz de absorver a energia solar translúcida, com capacidade de até 1.000 galões (3.785 litros), o qual é cheio de água e sementes de cerca de uma dúzia de espécies de algas e de um complemento de organismos microscópicos. Dentro destes cilindros são cultivados, em densidade bastante alta, filoplanctos para alimentação e peixes onívoros. A seleção das espécies depende do clima, da região e das oportunidades do mercado: o número de espécies que estudamos é grande e inclui a tilápia africana, a carpa chinesa, o peixe-gato norte-americano e a truta.

Populações densas (até 1 peixe a cada 2 galões, ou seja 1 peixe a cada 7,6 litros) de peixes em franco desenvolvimento, produzem altos níveis de nutrientes de dejetos, que estão além da capacidade que o ecossistema tem de aproveitá-los. O módulo elimina estes nutrientes de quatro maneiras: a) criação de peixes; b) proliferação de plâncton; c) algas parcialmente digeridas que formam tufos e se fixam no fundo e que podem, então, ser descarregadas periodicamente através de uma válvula para fertilizar e irrigar a horticultura adjacente; d) um moderno sistema *"chinampa"*, a absorção dos nutrientes por plantações de legumes que flutuam na superfície do cilindro. Neste caso, os sistemas de raízes das plantas absorvem os nutrientes antes que atinjam níveis tóxicos e, em segundo lugar, recolhem os detritos e funcionam como filtros vivos que purificam a água.

Estes módulos podem ser produtivos na cultura de peixes, dependendo da espécie e das taxas de alimentação suplementar, cerca de 113,5 kg de peixes por ano, numa área de aproximadamente 2,5 m². Cada unidade pode produzir, ao mesmo tempo, 18 pés de alface por semana, com uma produção anual de cerca de 900 pés de alface. Pode-se, ainda, cultivar tomates e pepinos na superfície, em culturas ainda mais altamente rentáveis. Os módulos apresentam ainda uma vantagem adicional: conservam a água. A evaporação é praticamente eliminada da superfície, de modo que os índices de água de reserva baseiam-se na "evapotranspiração" da planta e na quantidade de água do módulo liberada para irrigar e fertilizar a área adjacente.

Os módulos de fazenda aquática são um tipo de agroecologia que necessita de um certo capital inicial para a construção e início de funcionamento. Mas, em um grande número de casos, constituem-se um substituto para os equipamentos de lavoura pesada, colheita, fertilizante e irrigação que, caso contrário, teriam que ser usados para se implantar e operar uma fazenda. Esses módulos não só conservam o espaço e são mais baratos, como também podem ser empregados em centros urbanos, em estufas, em regiões de clima setentrional, e como um ingrediente decisivo no processo de restauração de meio ambientes danificados.

Como parte de um projeto de restauração de solo, os módulos poderiam ser implantados em fileiras nas áreas mais devastadas. Mudas de árvores poderiam ser plantadas na parte não ensolarada do cilindro, sendo em seguida alimentadas pela liberação periódica de água e nutrientes. No lado batido pelo Sol, poderia ser implantada uma variedade de culturas rentáveis a curto prazo, que se somariam à produção do módulo. Esta agricultura baseada em módulos garantiria um quadro de trabalhadores qualificados para cuidar de futuros ecossistemas.

Esse tipo de módulo de fazenda aquática, quando usada para recuperação do ecossistema, não precisa ser estático, no sentido de que os módulos, uma vez tendo fornecido alimento e água à nova vegetação emergente – incluindo as árvores – durante seus estágios mais vulneráveis, poderiam então ser deslocados para novos locais a fim de repetir o processo. Dessa forma, a biotecnologia de ciclo abreviado poderia expandir seus benefícios para ecossistemas à sua volta, numa área geográfica mais ampla.

Um tipo de tecnologia ecológica semelhante foi desenvolvida para regiões áridas. Para meio ambientes áridos, como a costa atlântica do Marrocos, desenvolvemos um sistema de bioabrigo para auxiliar na diversificação ecológica. O bioabrigo é um envelope climático transparente ou uma estrutura de estufa, que abriga os módulos de peixes e de hortaliças. Nosso protótipo é uma estrutura geodésica circular. Funciona como um destilador solar e como um "embrião" para os estágios iniciais do processo de diversificação ecológica. Estes bioabrigos podem operar até mesmo onde não há água doce. Neste caso extremo, os módulos de "aquacultura" são colocados dentro do envelope climático e a água do mar é bombeada para dentro deles. Durante o dia, a estrutura se aquece e a temperatura diferencial entre a água do mar nos tanques e o ar é alta o bastante para fazer com que os tanques transpirem água doce, irrigando assim o solo ao redor deles. Três mudas são então plantadas nesta zona úmida. À noite, o ar carregado de umidade esfria sob o céu do deserto. Gotículas de água formam-se no revestimento interior do envelope climático. Descobrimos que se no início da manhã batêssemos na membrana da estrutura, provocaríamos uma "chuva" dentro dela. Isso permitiu que toda a parte interior fosse plantada. Esse processo também permite que árvores resistentes à seca possam ser cultivadas ao redor da periferia externa da estrutura. Peixes marinhos e crustáceos, tais como mugens e camarões, podem ser criados na parte interna, formando a base de uma economia. Depois de alguns anos, as plantas originais do envelope climático podem ser transplantadas para um novo local, a fim de se repetir o ciclo, deixando para trás um agrossistema semiárido já instalado.

Esses são dois exemplos biotecnológicos tirados de um conjunto de opções que poderia ajudar a reverter a devastação ambiental e a restaurar a diversidade e a fartura de uma região. Estas tecnologias avançadas podem tornar-se instrumentos essenciais na criação de meio ambientes sustentáveis.

Grande parte das sociedades modernas enfrenta a crise do acúmulo de lixo. O mundo natural está ameaçado pela nossa incapacidade de integrar nossa agricultura e indústria dentro dos grandes ciclos planetários. As culturas industriais são cancerígenas, mas não precisariam ser. Na minha opinião, a limpeza da água é um ponto no qual se deve intervir. As usinas para tratamento de esgoto, para tomarmos um exemplo, são caras, mas não purificam a água. Elas matam os "micróbios" e removem os sólidos, quando funcionam – o que nem sempre acontece. Mas elas não removem nutrientes ou materiais tóxicos. Essa situação pode ser diferente se o lixo for visto como um conjunto de recursos que está fora de lugar e se conceitos, tais como recuperação total dos recursos, sejam a base para qualquer projeto de sistema de purificação do lixo.

A recuperação de recursos baseada na ecologia pode alterar a economia da reciclagem. As usinas para tratamento de esgoto são um dreno financeiro nas comunidades, ao passo que a purificação da água nos ecossistemas poderia ser a base para uma atividade econômica. O esgoto pode ser transformado em água potável e os subprodutos do processo podem ter valor econômico. A fim de demonstrar este fato, decidi participar do projeto de desenvolvimento de uma usina de energia solar para tratamento de lixo aquático. É parte de um empreendimento conjunto entre uma entidade estatal, a Narragansett Bay Comission (Comissão da Baía de Narrangansett) nossa organização de pesquisa, a Ocean Arks International e a Four Elements Corporation, uma nova empresa instituída com o objetivo de levar conceitos ecológicos avançados ao mercado.

A Narrangansett Bay Comission, de Rhode Island, opera a gigantesca usina para tratamento de esgoto da cidade de Providence. Está também empenhada na proteção da Baía de Narrangansett e de seus abundantes e também altamente ameaçados recursos marinhos. Esta usina de tratamento de esgoto não remove outros nutrientes ou toxinas, além daqueles que se encontram nos sedimentos. Nossa usina solar para tratamento de lixo aquático é projetada para remover todos os nutrientes e toxinas, numa escala inicial de 50 mil galões por dia. É também projetada para produzir subprodutos comerciáveis, desde flores até peixes. Também terá outra utilidade, como um viveiro para cerca de meio milhão de percas listradas por ano. A perca listrada é um peixe cujas populações foram drasticamente reduzidas, porque os locais de desova e os viveiros foram devastados pela poluição.

A instalação de nossa usina compreende uma estufa, alimentada por energia solar, dentro da qual há duas correntes de água paralelas, separadas por 180 módulos de fazenda aquática, já descritos anteriormente. Os módulos colhem e armazenam a energia solar, criando a partir daí um ambiente semitropical, durante o ano todo, dentro da estufa. Eles servem também para abrigar e alimentar as percas listradas em crescimento. O esgoto entra por uma das extremidades da estrutura e, durante um período de cinco dias, flui lentamente por toda a instalação. As duas correntes de água contêm quatro ecossistemas aquáticos sequencialmente organizados, cada um deles com uma tarefa fundamental no processo de purificação. Todos eles abrigam cadeias alimentares biologicamente ativas, supridas inicialmente pelo esgoto.

Uma visão geral do processo é mostrada a seguir. O esgoto é pré-tratado com esterilização ultravioleta, e recebe, depois, uma carga de oxigênio através de aeração. O ar introduzido é essencial em cada estágio. O primeiro ecossistema tem uma base de algas, sendo que as algas são as penúltimas a usufruir de nitrogênio, fósforo e outros nutrientes. O segundo ecossistema é dominado por plantas aquáticas flutuantes, incluindo os jacintos aquáticos, que prendem com suas raízes filamentosas as algas situadas na corrente. Elas também continuam a remover os nutrientes e a absorver materiais tóxicos. A cidade de San Diego descobriu que os jacintos aquáticos removem quase todos os solventes, bem como os metais pesados. San Diego, juntamente com a agência espacial Nasa, foi a pioneira na purificação do esgoto através do jacinto aquático. O terceiro ecossistema é formado por água pura com hábitats artificiais fixados no fundo, nos quais animais microscópicos parecidos com camarões se alimentam das algas e das bactérias que vivem neste substrato. Eles são o alimento dos peixes-mosquitos e dos *funduius,* os quais, por sua vez, servem de alimento para as percas nos módulos de fazenda aquática adjacentes. O quarto e último ecossistema é um charco composto de juncos e bambus plantados num filtro de cascalho. Estas plantas mais altas, com cerca de 7 a 10 metros de altura na estufa, removem quaisquer organismos e toxinas remanescentes. Servem também para limpar a água. O tratamento de lixo através de juncos e bambus foi uma invenção da Dra. Kaethe Seidel, do Max Plank Institute, na Alemanha. Ela descobriu que as plantas de brejo tinham a capacidade de transformar o esgoto em água potável de boa qualidade. As descobertas de sua pesquisa deram um novo significado à proteção dos charcos selvagens. Depois de passar pelo filtro do charco dentro da usina solar, a água está pronta para ser reutilizada. No caso desse protótipo, ela atenderá às necessidades das indústrias locais.

O tratamento solar de lixo aquático demonstra o valor da integração ecológica e ilustra de que forma a generosidade da natureza pode ser usada para atender às necessidades humanas. Uma grande parte do Terceiro Mundo está devastada por doenças que se originam de esgotos não tratados. E esses países não têm condições para implantar e operar processos industriais para o tratamento de lixo. Mesmo que tivessem, seriam privados de recursos preciosos. As usinas solares podem ser projetadas para controlar doenças e servem, também, como epicentros para a produção de fertilizantes e para o cultivo de material vegetal, incluindo árvores para reflorestamento.

Nossa expectativa é de que possamos construir o protótipo em 1987.[1] Nossas pesquisas nos levam a crer que ele funcionará no clima frio de New England. Esperamos que ele seja a semente para um novo compromisso no sentido do cuidado para com a água – como nosso recurso fundamental. A filosofia do cuidado com a natureza deve ser estendida aos lençóis de água, aos lagos, rios e oceanos.

É nosso dever sagrado para com o planeta – para com *Gaia* – alterar a ordem de nossos valores, de modo que nossa primeira preocupação seja a limpeza das águas, a proteção do solo e o cuidado com as árvores.

Esbocei apenas algumas ideias e tecnologias que se originam a partir da ecologia. Tenho consciência de que vivemos num mundo de violência, fome, devastação do meio ambiente e de desigualdade. Para a maioria de nós, pode parecer muito difícil encontrar algumas linhas de ação e interação em favor de nosso planeta e de nós próprios. Mas creio que toda essa situação pode mudar se nossa economia se tornar ecológica. O trabalho e o cuidado com a natureza serão como uma só coisa. Uma ordem econômica ecológica tem o potencial intrínseco de permitir que cada cultura explore novas fronteiras a seu modo, de tal forma que algumas das antigas divisões entre povos e países sejam abrandadas. Fritz Schumacher trabalhou no sentido de conseguir mais igualdade e justiça. Devemos seguir seu exemplo.

NOTAS

1 Este trabalho foi originalmente apresentado como a palestra anual da Schumacher Society, 1985, e está sendo reproduzido com a permissão daquela instituição. Mais informações sobre o trabalho desenvolvido pela Schumacher Society podem ser obtidas no site www.schumacher.org.uk

Referências

1. JACK TODD, Nancy; TODD, John. *Bioshelters, Ocean Arks, City Farming:* Ecology as the Basis of Design. San Francisco: Sierra Club Books, 1984.
2. TODD, John. "Planetary Healing". *Annals of Earth Steward-ship,* 1983, v. 1, n. 1, p. 7-9.
3. _____. "The Practice of Stewardship", *Meeting the Expectations of the Land,* Wes Jackson, Windell Berry e Bruce Coleman (Orgs.). San Francisco: North Point Press, 1984, cap. 12.
4. ZWEIG, Ron. "An Integrated Fish Culture Hydroponic Vegetable Production System", *Aquaculture Magazine,* 1986, v. 12, n. 3, p. 34-40.

8

HAZEL HENDERSON

UM GUIA PARA DOMINAR O TIGRE DA NOSSA ERA

AS TRÊS ZONAS DE TRANSIÇÃO

Quase todo mundo sabe que as sociedades industriais estão passando por transformações estruturais e procurando realinhar-se em um processo de globalização econômica e tecnológica. Nos dias atuais, esse processo de planetização acelera-se, visivelmente, e já é possível mapear três zonas distintas dessa transição sem precedentes, para ajudar os responsáveis pelas decisões a efetuar negociações nesse terreno ainda desconhecido: 1. Zona do Colapso; 2. Zona da Fibrilação e 3. Zona da Ruptura.

Considerando que todos nós vivemos em uma ou mais destas zonas e que poucos métodos de previsão têm a amplitude suficiente para captar essa dinâmica geral, precisamos mudar a direção de nossas atenções, voltadas à moldagem do *conteúdo* – isto é, a quantificação diária de eventos e informações – para a moldagem do *contexto* mais amplo destes eventos e dos processos gerais envolvidos. Fomos todos relegados à condição de amadores, nesse esforço heroico de moldagem que, não obstante, é fundamental para criar novos instrumentos conceituais, os quais são necessários se quisermos aprender a interpretar estes eventos e dominar o tigre da nova era.

Juntamente com esse contexto amplo de globalização acelerada, evidente em áreas que vão desde negócios bancários e financeiros, telecomunicações via satélite, informática, transporte aéreo, militarização até a aceleração do avanço tecноlógico – podemos esperar também um aumento de turbulências e o surgimento de novas instabilidades. Mais ainda: devemos contar com o fato de que a maioria das mudanças que presenciamos é *irreversível,* e observar ao mesmo tempo que quase todos os nossos instrumentos de compreensão para delineá-la – tais como a economia e as abordagens científicas convencionais – ainda estão baseadas nas ideias de Newton sobre mecânica, e nos modelos reversíveis de locomoção em um universo regular. Portanto, podemos esperar também um "choque do futuro" mais rápido (para empregar o termo de Alvin Toffler), mesmo em áreas antes estáveis de nossas vidas e instituições sociais e políticas. Tudo isso deverá ocorrer no contexto de mudanças mais rápidas e mais amplas nas condições ambientais, à medida que novos limiares são atravessados – como naquelas regiões onde o excesso de dióxido de carbono na atmosfera está produzindo, atualmente, maior inconstância climática. Outro efeito a ser observado será o da ambivalência destes eventos, com uma grande confusão e interpretações conflitantes entre os cientistas, setores do governo e os meios de comunicação – ou seja, a síndrome "isso é boa notícia ou má notícia". Este nosso mapa das três zonas pode ajudar-nos a separar as coisas e assinalar onde estamos situados nesse quadro. Considerando que as três zonas coexistem simultaneamente, deveríamos também lembrar que os mapas verbais, tais como este artigo, são menos eficientes que os mapas ilustrados, e que, mesmo assim, os mapas comuns dão uma ideia menos exata do que um globo tridimensional – o verdadeiro cenário no qual estas três transições estão ocorrendo.

Zona 1 – Zona do Colapso

Na Zona 1, muitos de nós temos a impressão de que nosso trabalho está imbecilizado ou que estamos atolados numa instituição ou empresa sem nenhuma relação conosco. Isso é natural em uma época de mudanças, considerando que os indivíduos sempre aprendem mais rápido que as instituições. De fato, é comum vermos algumas instituições enrijecerem até tornarem-se quebradiças a ponto de se desfazer, enquanto outras simplesmente resignam-se à estagnação e à decadência. Portanto, esta Zona do Colapso é aquela na qual a sociedade e suas instituições obsoletas estão se desestruturando. Não precisamos entrar em pânico, tendo em vista que a desestruturação é um processo natural, semelhante à adubagem da terra. Assim, há a criação de um solo renovado e enriquecido para a regeneração. Na verdade, a natureza nos mostra como algumas espécies realmente regridem a um estágio larval, anterior em seu desenvolvimento, quando sua forma adulta se torna demasiadamente rígida e mal-adaptada. Este processo – a pedomorfose – permite à forma mais jovem e menos estruturada (e, portanto, mais adaptável) realizar a continuidade da espécie. Assim, ele nos ajudará a ver a Zona 1 como portadora dessas "sementes" e a lembrar que a pedomorfose conduz às várias metamorfoses que encontraremos na Zona 3, a Zona da Ruptura. Na Zona 1, não são apenas institucionais, os centros urbanos, as áereas residenciais e rurais que estão se desestruturando, mas também os padrões culturais e políticos e os sistemas de valor subjacentes. Por exemplo: nossa cultura e a maior parte de outras sociedades industriais encontram-se em um estado de confusão, à medida que passam essa nova fase ainda não definida, chamada de "pós-industrial". Os russos e outras sociedades socialistas tentam, com heresias mercadológicas, superar os problemas da falta de incentivo e da coorperação forçada. Ao passo que, nos EUA, ansiamos por uma competição menos individualista que substitua o conceito do homem como lobo do homem e nos retiramos para as igrejas, para religiões e cultos que nos devolvam o espírito de comunhão e de bondade. Tanto o capitalismo quanto o comunismo se revelam ideologias superficiais, meramente voltadas para os métodos de produção e distribuição, em vez de filosofias de vida de raízes mais profundas. Da mesma forma, está fracassando a imposição de um ou outro destes dois estilos ultrapassados do industrialismo ao resto do mundo, seja na África, na Ásia ou na América Central e do Sul. A China parece estar encontrando um "terceiro caminho" ou, segundo as palavras de Deng Xiaoping: "Quando há ratos na casa, um gato preto é tão bom quanto um branco". Impingir o industrialismo, como um modelo único para o desenvolvimento é, atualmente, inadequado para a rica variedade de sociedades em todo o mundo, cada uma podendo contribuir, com sua maneira de ser própria e característica, para uma fusão universal.

Assim sendo, a Zona 1 é igualmente uma zona de guerra, à medida que as culturas, ideologias e religiões se chocam na nova aldeia global, agravando a permanente disputa entre as nações por territórios e recursos. Mesmo que as escaramuças nucleares sejam evitadas, devemos esperar uma proliferação das guerras, tais como as da América Central e da África, e de outras regiões do Terceiro Mundo. Essa violência, manifesta ou dissimulada, juntamente com as desigualdades e injustiças permanentes, continuará a alimentar revoltas, insurreições e o terrorismo; ao mesmo tempo em que as estratégias da guerrilha e as bombas em malas de viagem continuarão a ser uma resposta natural ao poderio militar e ao programa Guerra nas Estrelas*.

A Zona 1 é também a "zona do acidente" e a zona das "crises em câmera lenta", como a poluição. Three Mile Island, Times Beach, Lave Canal, Bhopal, a explosão da nave espacial Challenger, Chernobyl e os vazamentos no Reno são acidentes que se repetirão, se nós humanos continuarmos insistindo em administrar e coordenar organizações cada vez maiores e mais complexas e tecnologias mais avançadas.

As "crises em câmera lenta" a serem observadas incluem: a devastação crescente de florestas em razão da chuva ácida, a ampliação de desertos no Sahel e nos vales superirrigados da Califórnia, aumento do calor e da variabilidade climática devido ao "efeito estufa" pela elevação do dióxido de carbono, provocando a elevação do nível do mar, bem como o rebaixamento do lençol freático dos EUA e a poluição irreversível da água potável pelos resíduos tóxicos.

A arena política da Zona 1 fica mais bem resumida como "a política do último hurra", isto é, uma má adaptação à mudança, onde os governos de todas as tendências ideológicas enrijecem e tentam defender suas fronteiras contra as ondas da globalização que agora solapam sua estimada "soberania" nacional. Isso é mais evidente na esfera econômica, visto que algo como 150 a 500 bilhões de dólares (ninguém sabe ao certo), livres e desembaraçados, mudam de mãos por todo o planeta a cada 24 horas e tais fundos são eletronicamente trans-

---

* Programa de defesa estratégica no espaço (SDI), lançado pelo então presidente dos EUA, Ronald Reagan, em 1983. [N.E.]

feridos e desdobrados pela nova geração de administradores de recursos de 24 horas, que praticam esses jogos modernos – como o conhecido comércio de programas – tão bem descritos nas páginas da revista *Business Week*. A informação passou a ser dinheiro e o dinheiro tornou-se informação, como descrevi no meu trabalho *The Politics of Solar Age* (1981). À medida que a "via expressa" global se acelera, o dinheiro perde o seu significado e deixa de funcionar como um meio viável de acompanhar o andamento ou a contagem do jogo. É sob este prisma que Peter Orucker augumenta, em "Foreign Affairs" (primavera de 1986), que a economia de mercado desacoplou-se da economia industrial, a indústria desligou-se da mão de obra, e o comércio mundial também se desacoplou do fluxo mundial. Todavia, em seu criterioso artigo, Orucker não se aprofunda o suficiente a ponto de destacar essas áreas. Ao se limitar aos padrões tradicionais de uma análise econômica e financeira, ele deixa de lado aqueles setores com grande produtividade e que não são definidos em termos financeiros. Também não consegue perceber até que ponto este novo e estranho jogo financeiro (ou sistema símbolo, como Orucker o define) está, agora, afastado dos efetivos problemas de *qualquer* setor de produção, consumo, investimento ou comércio do mundo real e muito menos de qualquer região geográfica ou ecossistema reais do planeta.

Enquanto isso, os políticos debatem-se com problemas locais como o desemprego e as políticas para o comércio e a indústria (um conceito desanimadoramente ultrapassado), que tem a ver com geografia e pessoas reais; e a efetivação de tais políticas necessita de *vários anos* de preparação e implementação. Entretanto, todos esses planos domésticos, não importa o quanto sejam bem elaborados e executados, são desestabilizados diariamente, a cada manhã, quando abrem os mercados de câmbio da moeda em Londres, New York e Tóquio. Tratados e teorias econômicas, igualmente voltados para a competição internacional e as políticas de comércio ou para os casos locais: desemprego, inflação, déficits ou taxas de juros, são todos varridos por essa enchente de fluxos financeiros, bem como a dívida do Terceiro Mundo, taxas de câmbio e preços do petróleo instáveis – todos indicadores da necessidade de uma cooperação econômica global e de um novo Bretton Woods para formular as regras "win-win" para a operação de uma nova economia global de "comuns", isto é, como "propriedade global em comum" para todos os participantes.

Quando qualquer mercado se expande em direção à globalização, inevitavelmente se transforma em um "commons" – "em comum" – (um termo derivado das comunidades agrícolas feudais da Inglaterra – ou "dos comuns" – onde cada habitante podia manter seu rebanho). Nos mercados, prevalecem os jogos competitivos do perde-ganha, diferentemente do que acontece com aquele "em comum"; a menos que as regras "win-win" sejam substituídas, então, todos os participantes perdem e o modelo "em comum" estará destruído para todos (Veja "*Science*" de 13 dez. 1968, p. 1243).

Alguns governos reagem às condições da Zona 1, procurando reconceituar este novo modelo global "em comum", enquanto outros enrijecem, tentam retomar ao passado, buscam proezas militares diversivas, falsificam os dados, ou até mesmo acostumam-se à desinformação, confundindo frequentemente seus próprios cidadãos por esconder as verdadeiras razões. Os comportamentos políticos menos adaptáveis são, naturalmente, o totalitarismo ou a anarquia. Portanto, se você se encontra na Zona 1, a maior parte do tempo, deve reconhecer que está na hora de avaliar suas opções, reciclar seus conhecimentos, procurar descobrir oportunidades para reposicionar-se e estar preparado para um salto bem informado rumo à Zona 3, a Zona da Ruptura. Entretanto, para realizar esse plano, você precisará explorar e negociar a Zona 2.

Zona 2 – A Zona da Fibrilação

A Zona 2 é caracterizada pelo termo "fibrilação", que se refere ao momento em que o músculo do coração humano vacila temporariamente sob um estresse, podendo levar a um infarto, ou mudar para outro ritmo regular. Assim, a Zona 2 está se expandindo rapidamente, à medida que a globalização se acelera e sua atmosfera é aquela de "elevação do cacife" e acréscimo difundido do risco e da incerteza. A Zona 2 é aquela densamente crítica da *bifurcação* (um termo empregado pelos matemáticos e por aqueles envolvidos nas ciências físicas e biológicas). Esse termo refere-se aos muitos modos pelos quais um sistema pode – ou está prestes a mudar em sua totalidade ou seu estágio. Estes modelos dinâmicos e orgânicos de sistemas mutáveis incluem os modelos de "catástrofes", do matemático francês René Thom, que descreveu sete bifurcações diferentes de modos de transformação; os modelos da "ordem através da flutuação", de Ilya Prigogine, da Bélgica – prêmio Nobel de química – e os modelos de "mudança através da atração", do matemático americano Ralph Abraham, cujas simulações por computador dos processos de mudança dos sistemas exibem três "forças de atração orgânicas" (localizadas, periódicas e caóticas), os quais "puxam" os sistemas para novos estados, à semelhança de um ímã. Eles parecem bastante imprevisíveis, porque suas alterações mínimas podem provocar grandes diferenças nos resultados. Estes avanços nos modelos matemáticos são mais bem sintetizados para os leitores leigos por Marilyn Ferguson, em sua publicação científica, *Brain Mind Bulletin* (Los Angeles). Com base neste modelo, é possível ter uma ideia de como os processos de desestruturação da Zona 1 provocam as incertezas e o máximo possível de oportunidades para se alterar a marcha, reconceituar, rever os projetos e reestruturar, isto é, para dominar "o tigre da Nova Era", em direção à Zona da Ruptura.

A Zona 2 é também caracterizada por processos de "reviravolta", desde que os sistemas inteiros entram nesta zona de transformação – que podemos chamar de zona de bifurcação – quando estão posicionados no "vértice" dessas mudanças de estágio. Por exemplo: uma empresa em um estágio de rápido crescimento se defronta, repentinamente, com uma escolha decisiva, a qual, quando efetuada –, pode lançá-la à falência ou a novos mercados, numa forma totalmente reestruturada. As estratégias de alto risco são, frequentemente, as mais eficazes, ao passo que não fazer nada pode vir a ser a "ação" mais perigosa. Na Zona 2, um maior número de indivíduos, instituições e nações precisam fazer escolhas, porque – próximos dos limiares – eles lutam para ampliar suas margens e suas condições limites. Por exemplo: as fronteiras e os sistemas de convicções nacionalistas dos estados-nações de hoje tornaram-se deficientes. Desistir de algum tipo de "soberania nacional" por exemplo, sobre sua economia interna – é um risco, mas é um risco menor do que conduzi-la sem ajuda.

Assim sendo, as escolhas e as ações são necessárias na Zona 2 – mas, a menos que a situação seja igualmente reconceituada e redelineada, essa providência pode ser insuficiente para a adaptação e relegar o sistema ou o indivíduo a um retrocesso para a Zona 1. Portanto, a Zona 2 requer um reexame realista e rigoroso de posições assumidas, prioridades, objetivos e dos próprios valores subjacentes, desde que os valores são a força propulsora básica em todos os sistemas técnicos, econômicos e políticos. Esse reexame é, por si mesmo, uma tarefa de alto risco, pois antigas verdades e instiuições devem ser postas à prova, o que, inicialmente, contribui para o processo de desestruturação da Zona 1. Ainda assim, o preço de *não* se questionar os velhos modelos é a perda de liderança, aquelas "forças de atração" (em termos políticos, aquelas com os aspectos mais atraentes a respeito do futuro) que "puxam" o sistema para o seu novo estágio. A "política do último hurra" dos republicanos recondicionou sucessivamente a Teoria Keynesiana e converteu o mal-estar do governo Carter em déficits elevados e no otimismo exagerado e fervoroso da "última fronteira" e do programa "Guerra nas Estrelas". Nenhum dos partidos reviu os valores básicos, mas simplesmente transformou em *slogans* nossos valores tradicionais de otimismo, empreendimento, ação comunitária e cooperação, sem reconceituar nossos dogmas de competição geopolíticos e econômicos e nossa visão ultrapassada do papel dos EUA no mundo, como o primeiro em tudo, a fortaleza americana inexpugnável, dominando os nossos rivais com a superioridade militar e econômica.

Outro aspecto fundamental da Zona 2 é o de que devemos esperar mais e melhores notícias positivas e mais e piores notícias negativas. Este efeito é evidenciado pela queda nos preços do petróleo e é, simplesmente, mais um indicativo de sistemas que atingem as margens e os limiares das condições de máxima tensão. Em vista disso, fica mais fácil explicar por que as alterações em nível do desenvolvimento são, em geral, inócuas. Apenas aquelas medidas visando às causas *básicas* subjacentes aos problemas podem obter sucesso. Ao passo que as medidas voltadas somente para o alívio ou a supressão dos sintomas podem levar a resultados desastrosos. Por exemplo: tentar controlar a instável economia interna com soluções maldirecionadas e superficiais das políticas macroeconômicas "niveladas": inflacionar ou deflacionar, regulamentar ou liberar, privatizar ou estatizar, elevar ou baixar as taxas de juros – como se a sociedade fosse um sistema hidráulico – pode deixar o paciente em um estado pior e talvez irreversível. Como já foi mencionado, considerando que a globalização mudou o jogo, apenas os acordos globais darão resultados, da mesma forma que a reavaliação dos fundamentos de todos os setores econômicos, a reanálise dos dados disponíveis e o desenvolvimento de novos indicadores de desempenho, fora dos modelos simplistas do PNB, tais como o *Net National Welfare* (Bem-estar Nacional Líquido) do Japão ou o *Physical Quality of Life Index (Índice* de Qualidade Física de Vida), ao qual me referi em outra oportunidade.

Assim, a proliferação de boas e más notícias da Zona 2 torna-se um fato sempre ambivalente e fica cada vez mais irrealista avaliar qualquer notícia em termos "ou/ou" tão categóricos. O mero relato dos acontecimentos, feito pelos analistas da mídia, não significa uma contribuição, considerando que *a interpretação* é *tudo* e o exame das causas subjacentes e das posições assumidas pelos atores e pela plateia torna-se a chave para se decifrar a trama em desenvolvimento. Por exemplo: muitos futuristas, incluindo eu mesma, voltam sua atenção para as chamadas boas novas da "era da informação", que são muitas: tendências para uma maior participação, maior número de cidadãos bem informados, descentralização, bem como a sofisticação que John Naisbitt, autor de *Megatrends,* considera como um fator de equilíbrio para o aspecto menos agradável da revolução da alta tecnologia. Todavia, a "era da informação", em sua plenitude, resulta em mais ambivalência: uma informatização mais eficiente do setor militar pode provocar uma mútua agressão nuclear por acidente; a rápida ruptura das relações de trabalho em razão da automação; efeitos da revolução da informática sobre a saúde e a privacidade e um excesso crescente de informações inúteis; uma economia norte-americana caracterizada por "organizações vazias", que meramente rotulam e vendem, cada vez mais, carros e aparelhos eletrônicos fabricados no exterior e uma "economia de prestação de serviços", de balconistas e fritadores de hambúrguer, cuja aparente "carência de mão de obra" para atender a essas tarefas de baixa remuneração concorre para mascarar o problema de milhões de jovens e de membros de uma minoria semialfabetizada e estruturalmente sem condições de emprego – todos impelidos pelos processos de globalização do cassino global movido eletronicamente. Portanto, se você, como a maioria de nós, está vivendo a maior parte do seu tempo na Zona 2, o melhor a fazer é buscar mais a fundo as respostas, observar todos os ângulos dos problemas ou acontecimentos (sejam eles apresentados como boa ou má notícia) e, ao mesmo tempo, examinar o mais amplamente possível as interpretações apresentadas pelos políticos, líderes empresariais, sindicalistas e futuristas. A Zona 2 é a arena de trocas entre *adaptação* e *adaptabilidade.* Se nós ou nossas instituições tornaram-se demasiadamente bem-adaptados às condições que agora se disssipam, teremos menos reservas em nossos estoques de adaptabilidade para enfrentar as novas condições – é a síndrome do "nada fracassa mais que o sucesso". Os antropólogos dão a isso o nome de The Law of Retarding Lead (A Lei da Conduta Retardada). Nós a vemos demonstrada atualmente, quando países que são menos industrializados, como a China, a Índia e o Sri Lanka, podem conseguir avançar através do emprego das melhores inovações já conseguidas pelos países mais adiantados da Europa, a América do Norte e Japão; e, apoiando-se sobre eles como um trampolim a fim de saltar para o "Terceiro Caminho", e assim entrar na Zona 3.

Zona 3 – A Zona da Ruptura

Esta zona de ruptura esteve quase invisível durante as décadas de 1960 e 1970, porque suas manifestações não poderiam aparecer até que tivesse ocorrido uma desestruturação suficiente. Quando a Zona do Colapso se ampliou e permitiu a expansão da Zona da Fibrilação, então as rupturas também aumentaram e se tornaram mais visíveis: novos pactos entre as nações, como aquelas às margens do Mar Mediterrâneo, para eliminar a sua poluição comum; os tratados para resguardar-se da militarização do espaço exterior e para proteger o Polo Sul das explorações predatórias; assim como os vários encontros de debates, patrocinados pela ONU, sobre a Lei do Mar, e os problemas mundiais que não respeitam as fronteiras entre os países, como: alimento, população, saúde, educação, hábitat, fontes renováveis de energia e ciência e tecnologia para o desenvolvimento. Este início corajoso, para criar novas tecnologias de administração social em nível global, foi acoplado à nova capacidade humana de desvendar o código da vida: a molécula do ADN e conquistas como a da erradicação da varíola. Uma consciência crescente de nossas capacidades e responsabilidades – no sentido de uma aplicação mais adequada dos cientistas e das tecnologias para ampliar a duração de vida e as potencialidades humanas e para terminar com a fome e as doenças – conduziu a novos diálogos entre as nações ricas e pobres dos Hemisférios Norte e Sul, a propósito de uma economia global mais justa.

Novas manifestações de sensibilidade permitiram avaliar com mais atenção a diversidade e riqueza das culturas étnicas e, por fim, uma visão concreta da identidade planetária brilhou no espaço, para toda uma geração da família humana.

A Zona 3 é o lugar onde "problemas" e "crises" antigas são revelados como novas oportunidades e as boas notícias tornam-se visíveis nas más notícias. Na realidade, até mesmo a bomba nuclear manteve a paz por quarenta anos e, assim, os novos ciclos de proliferação forçaram milhões de cidadãos a exigir tratados de redução de armamento e um deslocamento dos recursos destinados à militarização, perigosamente crescente, para o cuidado de problemas como a miséria, a doença, a fome e a guerra – os quatro cavaleiros do apocalipse real. Por todos os anos 70 e 80, cresceram em todos os países os movimentos de cidadãos pela paz, pelos direitos humanos, pela responsabilidade de governos e grandes empresas e pela preservação ecológica. Investimentos de responsabilidade social e fundos mútuos bem-sucedidos proliferaram com estes movimentos. Alguns regimes caíram, como do Irã, do Haiti e o das Filipinas, enquanto outros se enfraquecem, incluindo a África do Sul, que agora vacila entre o desinvestimento, estimulado pelos cidadãos e a coragem dos seus próprios cidadãos negros. De forma semelhante, a arregimentação ultrapassada do industrialismo conservador, baseado numa abordagem inadequada das necessidades e potencialidades humanas e com sua visão limitada do papel crucial da natureza na produção, está conduzindo agora à formação de organizações mais humanitárias e participativas, tais como: cooperativas, empresas mantidas e administradas por trabalhadores. Está conduzindo, também, à germinação de negócios e empreendimentos menores, bem como a métodos de produção, sistemas de reciclagem e recuperação que funcionam de acordo com a natureza, respeitando as tolerâncias ecológicas. Dei a esta mudança o nome de "uma mudança em direção à alvorada da Era Solar, uma Era da Luz" – onde os homens lembrarão que todos os processos no Planeta Terra dependem do fluxo diário de fótons – a luz vivificante do Sol, nossa estrela mãe.

Nos dias de hoje, já estamos nos movendo além da "era da informação", baseada nas tecnologias eletrônicas, em direção à Era da Luz e suas tecnologias de ondas de luz – de lasers, fibras ópticas, exploradores ópticos e computação – para os fotovoltaicos e muitos outros processos térmicos e químicos de conversão de energia, baseados numa compreensão mais profunda da natureza – desde coletores solares baseados nos cloroplastos existentes em cada folha verde até as biotecnologias baseadas no código genético, ainda em um estágio de infância na exploração destas energias faustianas. Como nos lembra o Secretário Assistente das Nações Unidas, Robert Muller, em seu trabalho Uma Nova Gênese (1984), somos uma espécie muito jovem, em termos do desenvolvimento do nosso planeta, e aprendemos muita coisa em nossa breve história. Enquanto nos recusarmos a entrar em pânico ou nos desesperar, poderemos ainda aprender as lições da globalização que agora se colocam diante de nós. Como já deixei exposto em outras oportunidades, nosso planeta é um ambiente planejado com perfeição para o aprendizado programado – como as caixas pretas do famoso psicólogo B. F. Skinner – fornecendo-nos todos os ensinamentos e as avaliações tanto positivas quanto negativas sobre nosso desempenho, a fim de indicar o rumo ao longo do caminho.

Vemos esse aprendizado ocorrendo agora, através das "crises" de nossa agricultura que é dispendiosa, mecanizada, à base de produtos químicos e do uso de energia e que satura os mercados do mundo com sua produção em massa de monoculturas. No momento em que a agricultura se reestrutura sob a pressão da globalização, ela viabilizará os mesmos mo-

150

vimentos de diversificação e empreendimento que agora estão reestruturando os setores industriais. O futuro encontra-se nos modelos de agricultura de baixo custo e investimento mínimo, em fazendas "boutique" projetadas numa escala menor, em novos tipos de colheita, de jujuba e *guayule* a frutas e hortaliças étnicas, alimentos cultivados de forma específica e orgânica, piscicultura e variedades geneticamente controladas, apropriadas aos solos estéreis, à excessiva presença do sal e à escassez de água.

Aqui também vemos que este armazém planetário de diversidade genética deve ser considerado um "bem comum", da mesma forma que os oceanos e o ar que respiramos. Portanto, precisamos realizar também alguns pactos globais, o mais rápido possível, no sentido de possibilitar as regras "win-win", para administrar de forma cooperativa esses recursos preciosos, para o benefício de toda a família humana. Devemos fazer isso, em vez de insistir no modelo competitivo, obsoleto e auto destrutivo dos setores biotecnológicos atuais, cujos gastos em pesquisa têm sido subsidiados por impostos e por dotações do governo. Essas tecnologias são por demais valiosas e potencialmente perigosas para serem deixadas à mercê de umas poucas empresas inescrupulosas e negligentes, as quais podem colocar os outros em perigo e impedir as possibilidades de opção das futuras gerações. Da mesma maneira, algumas posições doutrinárias baseadas no princípio da não intervenção estão agora dificultando um desenvolvimento maior do setor de informática. As regras "zero sum" (quando um ganha, outro perde) estão criando uma torre de babel de incompatibilidades, impedindo a utilização mais ampla dos computadores nos padrões globais de atividade em rede, para os quais eles são naturalmente apropriados – conforme expus em meu trabalho a respeito: "Computers: Hardware of Democracy" *(Forum,* Fall 69 e *Harvard Business Review,* May-June, 1971). Surgiu agora uma outra modalidade de serviço de informação global nos padrões do "Commons" (uso em comum). Mais de trinta empresas já se reuniram em um consórcio, a *Corporation for Open Systems* (Organização de Sistemas Abertos), que está tentando implantar as regras do tipo "win-win": um conjunto de padrões comuns de âmbito mundial, enquanto a França já deu o primeiro passo ao oferecer, gratuitamente, seus terminais para uso doméstico, como um "bem comum", de modo a que todas as donas de casa possam ter acesso a eles, abrindo-se assim um vasto mercado de serviços.

Até mesmo a ameaça de caos econômico global está forçando os governos e os assessores de economia a se desfazer de antigas ideologias e atentar para um novo programa de estabilização da moeda e dos fluxos financeiros, em busca de *nichos* mais realistas de efetivas vantagens comparativas e simbiose. Vemos que a competição do tipo frontal, para produzir uma variedade limitada de produtos em mercados já saturados, é uma atividade destrutiva que coloca uma política de salários mais baixos e uma posterior destruição ecológica, no leilão do mercado, transformando as atividades econômicas de um comportamento global do tipo "zero sum".

Portanto, a Zona 3 envolve não apenas rupturas, reestruturações, modelos e adaptações novos mas, também, uma ampla "política de reconceituação" de todas as posições e condições básicas subjacentes aos "problemas" e "crises" da Zona 2. O conhecimento é reestruturado, partindo das disciplinas antigas e isoladas, tais como a economia, para instrumentos de procedimento novos e transdisciplinares. Por exemplo: da macroeconomia para os estudos de um procedimento "pós-econômico", incluindo uma avaliação da tecnologia, demonstração de impactos ambientais, estudos futuros, avaliação de riscos, estudos sobre o impacto social e pesquisa de sistemas – tudo dentro de um delineamento global em vez de nacional. Esta composição e reciclagem do conhecimento já está conduzindo a novos mapas de territórios despercebidos, tais como setores de produção, serviços e investimentos informais e não definidos em valores monetários que confirmam e, frequentemente, enriquecem as ideias que norteiam a medida do PNB definido em valores monetários, que é mais conhecido dos economistas.

Assim que estes novos mapas elucidarem os novos terrenos, outros critérios para o "sucesso" e novos indicadores e medidas de desempenho e "desenvolvimento" estarão surgindo. Por exemplo: em muitos setores governamentais e livros acadêmicos, o PNB está lentamente abrindo caminho para indicadores mais amplos, tais como o índice utilizado no Japão: "Bem-estar Nacional Líquido" e aquele utilizado pelo Conselho do Desenvolvimento Exterior de Washington, o Índice de Qualidade Física de Vida – já mencionados anteriormente – e ainda aquele conhecido como Necessidades Humanas Básicas, desenvolvido pelo Programa Ambiental das Nações Unidas.

ESTILOS DIVERGENTES DE PERCEPÇÃO, FORMAÇÃO DE HIPÓTESES OU PRESSUPOSIÇÕES E PREVISÃO ENTRE ECONOMISTAS E FUTURISTAS

ECONOMISTAS	FUTURISTAS
Previsão baseada em dados anteriores, extrapolando-se as tendências.	Elaborar cenários com base na pergunta: "o que aconteceria se...?" As tendências não são o destino.
Utilização igualmente de previsões otimistas e pessimistas.	Identificar os "futuros preferidos". Delinear as tendências para impactos cruzados.
A mudança é vista como um desequilíbrio (isto é, o equilíbrio pressuposto: todas as demais coisas iguais).	Pressupõe-se uma mudança fundamental (pressupõe-se uma transformação).
Condições "normais" retornarão.	Não existem coisas do tipo "condições normais", em sistemas complexos.
Reativo (pressupõe-se o controle de uma mão invisível).	Pró-ativo (enfoque nas escolhas e responsabilidades humanas).
Raciocínio linear. Modelos reversíveis.	Raciocínio não linear. Modelos irreversíveis; cunho evolucionista.
Modelos baseados em sistemas inorgânicos.	Sistema vivo, modelos orgânicos.

(continua)

(continuação)

ECONOMISTAS	FUTURISTAS
Enfoque em ciências, dados "rígidos".	Enfoque em ciências biológicas e sociais, e dados "flexíveis" e vagos, cunho de indeterminação.
Cunho determinista, reducionista e analítico.	Holismo, síntese, busca da sinergia.
Enfoque a curto prazo (por exemplo: taxas de desconto em uma análise do tipo custo benefício).	Enfoque a longo prazo; custos, benefícios e trocas geradas interligadamente.
Os dados sobre setores não econômicos e não monetizados são considerados "exterioridades" (por exemplo: setores de ação voluntária da comunidade, produção não remunerada, recursos ambientais).	Inclui dados existentes sobre a produtividade de cunho social, voluntária e não remunerada, os estilos de vida em transformação, os contextos das condições ambientais, as variáveis externas. (Utiliza modelos pós--econômicos: avaliação da tecnologia, impacto ambiental e social, outros estudos).
Os *métodos* visam ampliar as tendências existentes (por exemplo: a Psicologia de Wall Street – o "instinto do rebanho" para investimentos, tecnologias, desenvolvimento econômico).	Métodos "contrariantes" (por exemplo: procura por anomalias, verificação das influências nas percepções, nas normas culturais). Identifica potencialidades latentes.
Cunho empresarial, quando o "mercado" estiver identificado.	Socialmente empresarial (Schwartz, por exemplo: visualiza necessidades futuras, cria novos mercados).
Previsões quantitativas e exatas (por exemplo: um enfoque anual contendo a estimativa do PNB para o trimestre seguinte).	Enfoque qualitativo (por exemplo: estudos para os anos 2000, democracia antecipatória). Dados obtidos de múltiplas fontes, delineamento de variáveis interagentes, tendências em contextos globais a longo prazo.

Ao se usar estes indicadores, surge um quadro bastante diferente, e países como o Sri Lanka e a China são despertados para alcançar o progresso em saúde, educação, abrigo e ambiente, bem como um mero crescimento na renda *per capita* média (que geralmente encobre sérias desigualdades de distribuição). À medida que estes indicadores ganham consistência, fica claro que os países como a China estão obtendo sucesso devido, em parte, à mudança das prioridades e as despesas militares da China vêm sendo reduzidas, gradativamente, nos últimos 15 anos. Da mesma maneira, o sucesso do Japão é, em parte, devido à opção de concentrar-se no atendimento dos mercados civis, ao invés de juntar-se à competição mortífera e dispendiosa da corrida armamentista.

Na Zona 3, vemos também que o antigo debate "ou/ou" dá lugar a uma visão de civilidade "yin/yang". Por exemplo: o debate vai além da questão da competição ou cooperação, para compreender que estes dois princípios, igualmente importantes, estão agindo, simultaneamente e em todos os níveis da sociedade humana e da natureza. Podemos ver também que, em muitos países, tanto a política quanto a economia estão deixando os limites da perspectiva esquerda-direita unidimensional, em direção a um debate de dimensões mais amplas que inclua os fatores importantes do momento:

1. globalização; 2. ecologia; 3. setores de produção, intercâmbio e investimento não medidos monetariamente (por exemplo: 25% de todo o comércio mundial está sendo agora efetuado através de troca), assim como os setores voluntários e cooperativos e nossos estilos de vida e valores em transformação; 4. aspectos futuros de longo prazo – como custos, benefícios, permutas e riscos e recompensas – de nossos empreendimentos de curto prazo.

A Zona 3 já está repleta de novos conceitos: ideias como a Mudança para o Pacífico da liderança econômica e cultural, exposta pelo historiador William Irwin Thompson, em seu livro editado em 1986, e as imagens por toda a parte de novos padrões planetários e identidade cultural; os conceitos de formas sustentáveis de produção, recursos renováveis, tecnologias adequadas e a nova economia (ou "econologia", como alguns a chamam) das capacidades interligadas dos vários ecossistemas, sem esquecer as novas e entusiásticas ideias a respeito da natureza humana e suas potencialidades, que resultam de pesquisas sobre o cérebro e a mente, conforme é relatado por Jean Houston, em seu livro *The Possible Human*. A Zona 3 está também repleta de modelos e exemplos de estratégias de ruptura do tipo "win-win". Todavia, eles parecem "insignificantes" para os cientistas treinados nas teorias newtonianas – acostumados a modelos de uma única disciplina ou de funcionamento regulado, em vez de novos modelos de sistemas orgânicos, tais *como* aqueles já mencionados aqui. Da mesma forma, a maioria das "câmeras" estatísticas ainda estão focalizando os fenômenos apagados de um mundo do passado, mais discreto, estático e ordenado. Por exemplo: a estrutura de política social dos EUA ainda se baseia, em grande parte, no antigo modelo do núcleo familiar com um provedor único do sustento, com a esposa dona de casa e dois filhos – muito embora essas famílias, nos dias de hoje, representem apenas cerca de 10% do total. Igualmente, as estatísticas econômicas ignoram o fluxo de serviços no comércio mundial, agora em grande proporção, enquanto os modelos econômicos não conseguem abranger a nova mercadoria: a informação – a qual não é escassa, e, portanto, está adequada às regras "win-win", em vez da competição "zero sum", que já descrevi anteriormente.

Hoje em dia, será bom para a nossa saúde mental que nos lembremos de que a atmosfera sobrecarregada – com que passamos a conviver à medida que avançamos para dentro dos modelos da Zona 2 – ainda é o foco da maioria dos acadêmicos, estatísticos e profissionais da mídia. Assim, as rupturas são continuamente ignoradas ou então sufocadas pelos noticiários saturados de choques, confrontações e violências sem sentido, que fazem parte do cotidiano da Zona 1, ao passo que as oportunidades e escolhas da Zona 2 não são devidamente divulgadas ou, então, são mal-interpretadas. Por exemplo: a "crise" do setor de seguros, amplamente noticiada – e que agora é atribuída ora às companhias de seguros, ora aos advogados ou ao sistema de arbitramento – é uma oportunidade de ouro para se examinar: 1. limites que devem ser colocados na execução de tarefas através de tecnologias de alto risco, quando essas mesmas tarefas puderem ser realizadas por outro meios menos perigosos; 2. a mentalidade newtoniana de um mundo regulado como um relógio, que está na raiz da maioria dos padrões de avaliação dos riscos e probalidades; 3. os valores sociais mais amplos implícitos no atual sistema de seguros.

O calmo processo de construção e reestruturação, que se dá na Zona 3, fornece apenas uma "boa notícia em câmera lenta" e não permite uma condensação em cenas de 30 segundos, entre os intervalos para os comerciais, num noticiário de meia hora. Não obstante, ele é de muito maior importância para o nosso futuro do que a maior parte de nosso atual "jornalismo fotográfico de impacto". Por exemplo: somos informados a respeito de todas as companhias gigantescas que vão à falência ou fecham suas fábricas, ao passo que a maioria das 700 mil pequenas e novas empresas, fundadas a cada ano, passam despercebidas, porque o *Census Bureau** não inclui as empresas com menos de 20 empregados. À medida que aumenta a aceleração das mudanças, as "notícias" e os "fatos" ficarão aquém do cenário de transformações. Ted Koppel, da Rede de TV ABC, frequentemente realiza funções diplomáticas e ventila no seu comentário as confrontações e "áreas de atrito" de âmbito nacional, antes que o Departamento de Estado da ONU tenha acesso às informações. O programa de rádio americano "Global Town Meeting" ("Um encontro na cidade global") atinge uma audiência de milhões de ouvintes, ampliando o intercâmbio entre as pessoas, através da conexão de dezenas de cidades em todo o mundo, em discussões "ao vivo" sobre estratégias de paz: missões espaciais em cooperação de EUA e Rússia; intercâmbio de programas de rádio, do tipo "encontros na cidade global", e as maratonas televisivas contra a fome estão em rápida expansão, como as maratonas em favor da paz e cooperação no mundo e os debates pela TV, ligando cidadãos de diversas cidades em encontros frente a frente, através de conexões via satélite. As redes de TV dos anos setenta estão se manifestando agora e as programações para as novas sociedades planetárias são claras: em documentos como "Global Possible Proposals" (Propostas para um Planeta Possível) do World Resources Institute (Instituto

---

* O Census Bureau pode ser comparado ao Instituto Brasileiro de Geografia e Estatística (IBGE). [N.T.]

de Recursos Mundiais); State of the World Reports (Relatório das Condições Mundiais) do Worldwatch Institute (Instituto de Vigilância Mundial); na Declaração dos Direitos Humanos da ONU; os programas da Organização Mundial de Saúde, do UNICEF etc.; nos programas China 2000, África 2000 e ainda em outros 15 estudos semelhantes em outros países.

Aqui, mais uma vez, percebemos que em grande parte "crises" e "problemas" são, na realidade, oportunidades. Por exemplo: percebemos que o "problema" bastante lamentado da população mundial pode, na verdade, ser estabilizado através da preservação da vida. Ao impedir a morte de milhões de crianças por diarreia, em muitos países, a Organização Mundial de Saúde realizou as duas tarefas, utilizando um remédio simples, rápido e barato, o soro caseiro, que consiste na administração de uma solução oral à base de água, glicose e sal. Agindo dessa forma, esta terapia oral de reidratação reduziu as taxas de mortalidade, em vez de aumentá-las, como apregoavam os estudos baseados nas teorias newtonianas. A boa notícia, de fato, é que um grande número de soluções está se mostrando simples e barata, em vez de exigir novas tecnologias complexas e dispendiosas. Quando "crises" e "problemas" são reexaminados nos seus aspectos fundamentais, as soluções geralmente surgem no processo de reavaliação, da mesma forma que no "pensamento lateral" e nos exercícios de criatividade utilizados por muitos teóricos do desenvolvimento e da transformação organizacional. Por exemplo: sistemas médicos de alta tecnologia, complexos e dispendiosos, estão agora cedendo lugar a procedimentos de menor custo: estilos de vida mais saudáveis; redução e melhoria da nutrição; mais atividade física; educação e prevenção, juntamente com uma nova abordagem dos efeitos benéficos de se reduzir a tensão e cultivar perspectivas mais otimistas na vida.

À medida que nossa mídia começa a compreender seu papel, como o sistema nervoso do novo corpo político da família humana, ela poderá também descobrir e interpretar os eventos e oportunidades das Zona 2 e 3, reduzindo dessa forma os níveis comuns de tensão e as reações de pânico, ao mesmo tempo em que ampliará o nosso conhecimento sobre todas as escolhas saudáveis abertas a todos nós. Evidentemente, a espécie humana encontra-se em uma nova conjuntura evolutiva e está enfrentando o eterno drama de todas as espécies: o jogo entre adaptação e adaptabilidade; entre má adaptação, pedomorfose, aprendizado, transformação e metamorfose. Quando nos defrontamos com os elevados riscos da Zona de Fibrilação – com todas as suas escolhas inevitáveis – podemos todos fazer nossa parte, tomando milhões de pequenas providências e decisões sábias necessárias, muitas das quais sabemos por intuição, e as quais, em conjunto, irão ampliar os "fatores de atração" que nos conduzem a uma posterior expansão do território da Zona de Ruptura. A visão da globalização bem--sucedida regerá a política "win-win" para construir um planeta equitativo, de diversas culturas, ecologicamente harmonioso e, portanto, pacífico. Neste contexto de total abrangência, todos os nossos interesses individuais egocêntricos tornam-se contíguos: no interesse próprio de nossa família humana, que vive agora uma real interdependência, à medida que ingressamos na Era da Luz.

NOTA

A maior parte das ideias apresentadas neste artigo são tratadas mais profundamente nas seguintes publicações da autora: *Creating Altenative Futures* (1978) e *The Politcs of the Solar Age: Alternatives to Economics* (1981) e em *Post-Economic Policies for Post-Industrial Societics.* Revisto. Inverno 1984. Cambridge, Massachusetts.

9

WILLIAM IRWIN THOMPSON

GAIA E A POLÍTICA DA VIDA

I. Propósito consciente e comunidade inconsciente

No ensaio "Os efeitos do propósito consciente na adaptação humana", Gregory Bateson mostrou como o propósito consciente de uma sociedade, manifestada em sua política econômica, tinha pouco conhecimento de sua vida biológica dentro de um ambiente.[1] Uma sociedade não sabia o que estava fazendo, ou, em outras palavras, sua interpretação política da vida era inferior à sua existência plena em uma ecologia. Tudo o que restou, após subtrair-se a interpretação consciente da atividade, passou a constituir a verdadeira existência do organismo inserido no meio ambiente. Esta atividade transformadora inconsciente da membrana, entre o organismo e o ambiente, era ainda – para Bateson – a expressão de algum tipo de Mente. E o último trabalho de Bateson em sua vida foi a tentativa de explorar exatamente essa relação entre a mente e a natureza.

De acordo com as descrições de Bateson, o sistema nervoso só se refere aos seus produtos e não aos seus processos; da mesma forma, a sociedade somente se refere aos seus produtos industriais e não à condição de seus processos ecológicos. Os economistas descreverão a estrutura consciente de uma sociedade na linguagem racional de medidas quanti-

161

tativas e esta descrição consciente é chamada PNB (Produto Nacional Bruto). O processo inconsciente, a vida real da cultura no âmbito da ecologia, é periférico ao sistema de valores e é sentido apenas como uma poluição casual. É paradoxal que embora o PNB seja invisível, e a poluição uma das coisas mais visíveis, a abstração seja aceita como realidade concreta e a experiência de vida real relegada às margens da sociedade, onde é recolhida por elementos marginais, tais como artistas, filósofos e outros grupos descontentes.

Se uma conduta política for inadequada, isso é descoberto por meio do ruído. O ruído é uma manifestação do ignorado e do desconhecido. Quando aumenta de intensidade, o ruído atinge um ponto no qual se sobrepõe ao sinal e então acontece uma reversão, na qual o ruído passa a ser ouvido com informação, e os antigos sinais reduzem-se a um zumbido em segundo plano, à mescla de vozes em sussurro e a uma retórica arcaica.

A própria poluição é uma forma de ruído na transmissão dos propósitos conscientes do homem para a natureza. No início da civilização esse ruído era ignorado e, somente agora, está se transformando em perturbações reais como a devastação do solo, o envenenamento da água e a contaminação atmosférica. Se esse ruído continuar a aumentar dessa forma, alcançará o ponto no qual vai sobrepor-se ao sinal e a retórica industrial se tornará um ruído mecanicamente repetido pelas pessoas que ainda invocam um envolvimento histórico que não é mais o meio ambiente histórico real.

No ponto em que o ruído começa a ser ouvido como informação, começa-se a ter a impressão de que o ruído é realmente sistêmico, em vez de casual, e que ele constitui uma forma de eco ou sombra do sistema não reconhecido de civilização. Não mais estamos falando aqui sobre um inconsciente intelectual, ou episteme, (chez Foucault), mas um inconsciente da civilização. O parque industrial com seu PNB é a comunidade consciente, mas a comunidade inconsciente com o ruído e a poluição é a forma gasosa e sombria das coisas que virão. É a nuvem de Chernobyl, que não reconhece fronteiras nacionais em seu deslocamento.

Nossa comunidade inconsciente é um bioma que conhecemos como EUA-México-Canadá. No que diz respeito à vida de um bioma, as fronteiras de um país são abstrações ilusórias. Nossa fronteira ao sul está se diluindo e as terras que antes foram tomadas do México, pela força da riqueza, estão agora sendo repatriadas pela força da pobreza. Os norte-americanos divulgam cenas de riqueza nos comerciais de TV e em programas como *Dinastia* e *Dallas*. E os mexicanos são atraídos, como multidões, à terra imaginária de *El Norte*. Nem o fluxo de informação eletrônica, nem o fluxo de imigrantes clandestinos reconhecem as divisas abstratas do estado-nação. A fronteira não é uma muralha mas, na realidade, uma membrana bastante permeável.

Mas a simples eliminação da membrana não vai conseguir resolver o problema dos EUA ou do México, pois a estrutura de vida em um bioma é constituída em torno da *diferença* entre as duas regiões. De acordo com Bateson, é a diferença que faz a diferença e estabelece a informação; mas gostaria de ir um pouco mais adiante e dizer que é a diferença que *impulsiona* o sistema, que estimula o movimento. Da mesma forma que uma diferença de temperatura que, termodinamicamente, impulsiona um motor, as diferenças estimulam todos os tipos de atividade humana, sejam elas legais ou ilegais. Naturalmente, as condições termodinâmicas finais poderiam revelar-se apenas tépidas, nas quais Los Angeles se tornaria como uma cidade do Terceiro Mundo, sem nenhuma distinção em relação à Cidade do México.

Agora, vamos passar da nossa fronteira do Sul para a do Norte. Uma das exportações mais importantes dos EUA para o Canadá é a chuva ácida. A despeito das barreiras comerciais e das taxas existentes, e frequentemente por causa delas, a América do Norte constitui-se um único bioma. Então, o que está integrando os EUA com o Canadá? A poluição. O que está integrando os EUA com o México? Um movimento, não de metais degradados, mas de pessoas economicamente degradadas; mas, em ambos os casos de degradação, a propaganda é a força propulsora que estimula a demanda de bens que oprime o bem.

Em ambos os casos das fronteiras Sul e Norte dos EUA, o movimento é meramente burocrático, no qual a fronteira serve apenas para estabelecer a diferença que energiza e impulsiona o sistema. Os impostos e as taxas alfandegárias são diferenças que estruturam uma economia, precisamente da mesma forma pelas quais as leis servem para estruturar o mercado negro e as economias paralelas. Tal organização inconsciente da vida em um bioma não é tratada honestamente pelas leis, que moldam uma comunidade definida por padrões conscientes, pois, no jogo entre policiais e ladrões em *Miami Vice*, a proibição é um subsídio para o lucro dos criminosos e as armas nas mãos da polícia são uma permissão para matar. Na ambiguidade dessa ficção eletrônica, a distinção culta e civilizada entre bons e maus sujeitos fica prejudicada.

O bioma da América Latina e do Norte é, naturalmente, parte de um bioma mais amplo. Em última análise, a circulação eletrônica de informações na noosfera, e dos gases na atmosfera constitui a biosfera planetária única da *Gaia*. Essa é a política da vida na Terra.

No presente momento, entretanto, nosso pensamento político e nossos sistemas políticos estão ligados ao passado, à economia e às questões físicas do século XVIII. Como disse Mc Luhan certa vez: "Os políticos aplicam soluções de ontem para os problemas de hoje". Essa atitude reacionária é inevitável, e faz parte da natureza da percepção humana, pois o conhecimento é, por definição, a organização do passado. Até mesmo quando olhamos para a luz das estrelas, não vemos o presente, mas a luz de um tempo esgotado. O que vemos como o presente é realmente o passado e o que pressentimos como o futuro e escrevemos a respeito em fantasias e ficção científica – é na verdade o passado. Poetas, artistas e escritores de ficção científica não são os profetas do futuro mas, sim, repórteres sensíveis às implicações do presente. Desde São Jerônimo, Bosch, Júlio Verne e H. G. Wells, até Doris Lessing, o artista descreve aquilo que sente ou capta, mas que não pode ver. Uma outra palavra para esse tipo de percepção é: Imaginação.

Aquilo que o artista capta, o economista ignora. O economista prefere descrever o moderno sistema global em termos de estados-nações industriais circunscritos territorialmente, mas a imaginação nos apresenta o mundo como um ser vivo, cujos órgãos internos são limitados por membranas permeáveis. Na vida de uma membrana, como nos mostrou Lewis Thomas, um impedimento pode ser uma forma de ênfase. Quando toleramos a presença de um antígeno dentro de nós, nem sempre ficamos doentes. Mas, quando nossas defesas imunológicas interpretam esses endossimbiontes como alienígenas em nosso meio e encetam a tarefa de atacá-los, então nossas defesas acionam os sintomas que conhecemos como doença.[2]

Os antígenos podem ser vírus, pólen, bactérias, imigrantes clandestinos ou criminosos; mas, em cada um desses casos, o impedimento pode ser uma forma de ênfase, que está em um conluio involuntário para energizar o sistema que ataca. Pensemos na hipótese da liberação da maconha. Se a droga fosse legalizada e o seu cultivo e distribuição fossem assumidos pelas grandes fábricas de cigarros, a economia paralela dos adolescentes desempregados nos EUA cairia por terra e se criariam condições, em muitas cidades, para a revolta e a desordem. O crime organizado também perderia a estrutura de seu sistema de distribuição. Considerando que a maconha se presta facilmente ao cultivo doméstico, é do interesse dos importadores e distribuidores cooperar com a polícia, no jogo da mudança dos hábitos de consumo de droga, substituindo a maconha pela cocaína.

Nessa relação lúdica de policiais e bandidos, a consciência é meramente o conteúdo, a opinião moral, que permite a estrutura persistir com todas as suas ambiguidades intactas. Uma valorização exagerada da consciência ameaçaria a continuidade do jogo. Assim, haverá sempre um consenso tácito para que ninguém seja demasiado consciente do mal presente no bem e do bem presente no mal. O jogo requer apenas uma identificação simplista de inimigos e maus sujeitos, pois o mau sujeito é a diferença que impulsiona o sistema. É bom lembrar que os EUA não conseguiram sair da Depressão, até o momento em que a Segunda Guerra Mundial permitiu uma mudança para uma nova economia baseada na indústria bélica de defesa. Considere, então, o que aconteceria agora à economia norte-americana caso a Rússia se recusasse a participar do jogo fazendo o papel do bandido que energiza o sistema. Observe que nos três casos de imigração clandestina, tráfico de drogas e corrida armamentista, uma eliminação simples e linear de uma fronteira, uma lei ou uma competição nacional não corresponde à organização consensual e tácita da cultura, embora possa corresponder às abstrações dos reformadores. A cultura estrutura-se em função das diferenças que geram órgãos e organismos. Isso quer dizer que a cultura organiza-se ao acentuar as diferenças. Procure criar uma condição de igualdade qualquer e, imediatamente, se desenvolverão diferenciações entre os iguais, quer se trate de pessoas falando uma mesma língua, de seguidores de uma mesma religião ou membros de um partido político.

Agora, talvez possamos começar a entender por que, apesar de terem tentado desde os anos 50 eliminar as armas nucleares, os pacifistas não foram bem-sucedidos. Na realidade, o número de mísseis termonucleares aumentou desde então. O ponto falho do pensamento liberal é que ele enfoca o *conteúdo* e não as *estruturas*. Se eliminarmos uma substância ilegal causadora de dependência, apenas tornando-a legal, não eliminaremos a estrutura da dependência. Se eliminarmos a rejeição, não eliminaremos a necessidade da rejeição. Se eliminarmos a guerra convencional, então a violência nos eventos esportivos irromperá em seu lugar. Se eliminarmos a diferença entre EUA e Rússia na corrida armamentista, então os motores que impulsionam o sistema científico de ambas as nações vão parar. E os cidadãos, agora sem ameaças, não mais apoiarão os vultosos subsídios que a Grande Ciência requer.

Neste ponto, talvez, nossa imaginação comece a vislumbrar o que seja realmente o programa de Reagan "Guerra nas Estrelas". Nada mais é que a clara efetivação de um processo que começou na revolução urbana da antiga Suméria. "Civilização" é uma designação incorreta para essa transformação; a palavra deveria ser "militarização", considerando-se que foram as muralhas e os exércitos de prontidão as novas instituições resultantes da mudança da aldeia neolítica para a cidade civilizada. Tendo em vista o quanto a tecnologia tem estado sempre ligada à militarização, não deveríamos agir como liberais simplistas ao enfocar o conteúdo de "Guerra nas Estrelas", e seremos envolvidos em debates nada inteligentes que discutem se o sistema de mísseis antibalísticos vai realmente entrar em atividade. É claro que não vai, mas os satélites, os sistemas informatizados e os lasers são simplesmente o conteúdo; a estrutura é uma planetização e representa a transição de uma economia civil, temporariamente mobilizada para a defesa, para uma economia científica, permanentemente organizada para a pesquisa e o desenvolvimento. E a economia científica é aquela na qual o serendipismo – o dom de descobrir aquilo que você não está procurando – é geralmente o seu procedimento mais importante.

Seja lá como for, a dificuldade em conseguir que a população civil, em uma democracia, vote em favor da economia científica, está em que o cidadão comum tem receio da Grande Ciência; tem receio da classe dos mandarins que o faz sentir-se idiota e dispensável. Consequentemente, o único meio de conseguir que esses cidadãos votem em favor da transição para uma economia científica é amedrontá-los e assim desviar esse medo da ciência para os cientistas do "inimigo", de modo que nossos cientistas possam assumir o papel de anjos da libertação. Para motivar nosso inimigo a assustar nossos cidadãos, precisamos, naturalmente, assustá-lo a tal ponto que ele se enquadre naquela imagem de alguém capaz de arrasar a nossa economia. Até agora os russos nunca nos decepcionaram. Tendo em vista o reduzido número de norte--americanos mortos por russos e considerando quantos norte--americanos já foram mortos por norte-americanos em nossas cidades decadentes, fica claro que nosso senso de direção está um tanto falho em matéria de defesa. Talvez, se puséssemos no orçamento da defesa a reforma do metrô de New York, seríamos capazes de encontrar o dinheiro rapidamente. Enquanto isso, acho que seria honesto reconhecer que a Rússia era uma parte íntima e vital dos EUA. Poderíamos ter perdido alguns estados, e ainda sobreviver, mas se tivéssemos perdido os russos como nosso inimigo, toda a nossa economia industrial de estado-nação iria à falência.

Com a substituição de uma economia civil nacional por uma planetização técnico científica, um projeto vitalício de cientistas para Manhattan, os EUA esperam realizar o salto da civilização industrial burguesa para a planetização tecnocrata, sem passar pela transição descontínua de uma "catástrofe". "Guerra nas Estrelas", como um passeio pelo EPCOT* da Disney World, não é uma manifestação de teoria científica e filosofia política, mas a projeção da fantasia e, para esse papel, Reagan é a mais profunda expressão da nossa nova figura política-eletrônica.

---

* Um dos quatro parques temáticos do complexo Walt Disney World. [N.E.]

O presidente Reagan* é o líder arquetípico de nossa comunidade involuntária pós-industrial, precisamente porque ele não é um pensador. Ele é quase inteiramente inconsciente. É, de fato, o Homo *ludens* de Walt Disney, e não o *Homo faber* de Lutero, Calvino ou Marx. Durante o período de escalada da classe média e o aparecimento do estado-nação burguês, foi o pensador – e não o cavaleiro militar ou o príncipe da igreja o arquiteto das novas comunidades. Assim como Locke estava para Jefferson, Marx estava para Lenin; mas agora, na era da mídia global, não há mais espaço para o teórico e o pragmático, mas para o artista e o ator. Assim como Locke estava para Jefferson, agora Disney está para Reagan, pois Disney foi o primeiro a construir uma cidade da mídia, na qual o passado tornou-se um cenário cinematográfico, e o cidadão era levado a passeios de fantasia com seu próprio e entusiástico consentimento. Foi Disney, juntamente com McLuhan, um dos primeiros a entender que a televisão mudaria a consciência da humanidade culta e civilizada. Os críticos da cultura, como McLuhan e Adorno, emitiram alertas terríveis sobre o descrédito em massa na indústria cultural e o fim da civilização ocidental. Mas Disney parecia ter uma ingenuidade norte-americana, própria de Kansas, e confiou no poder unificado da cultura popular. De fato, com sua *Branca de Neve,* Disney realizou pessoalmente a transição da cultura folclórica dos Irmãos Grimm para a cultura "pop". Para sermos honestos com Disney, devemos reconhecer que a transição da lenda folclórica oral para a literatura é tão artisticamente presunçosa quanto a transição da literatura para o cinema. Com EPCOT, entretanto, o lado obscuro da cultura de massa de Disney parece mais aparente, como se os seus "fazedores de imagens" achassem agora que o caminho para alcançar uma nova coletivização política não seria através de uma sombria "repressão aos comunistas", mas uma participação feliz em fantasias de

---

* Nascido em 1911, em Tampico, Illinois, Ronald Reagan foi presidente dos Estados Unidos entre os anos de 1981 e 1989. Antes de seu ingresso na política, foi ator, tendo sido inclusive presidente do SAG, o mais importante sindicato de atores dos Estados Unidos. Fiel ao ideário do Partido Republicano ao qual era filiado, Reagan como presidente ficou conhecido por sua firme defesa dos interesses norte-americanos durante o célebre período da Guerra Fria. Faleceu em 2004, em Los Angeles, Califórnia. [N.E.]

progresso. Numa época em que a Cristandade abastada não tinha mais a força dos rituais pagãos e ritos amedrontadores de iniciação, a Disneylândia criou passeios amedrontadores nos quais o espírito do mal estava distante e risível e o passado passou a ser um artefato visivelmente confortável, em um mundo que estava invisivelmente em rota de colisão com a nova reorganização científica da sociedade. O conteúdo da Disneylândia era a cidadezinha da virada do século, mas a estrutura invisível era a computadorização. O conteúdo atual do EPCOT da Disney World é o "Mundo do Movimento", no qual a General Motors proclama a liberdade do indivíduo de ir aonde quiser. Mas na obscuridade daquele passeio não há nem escolha nem liberdade. De forma semelhante, "A aventura americana" do EPCOT traz ao palco todos os presidentes da história americana, enquanto dois velhos escritores irreverentes (Franklin e Twain) servem amavelmente de lanterninhas num memorial de religião cívica que tem por fim proporcionar ao cidadão uma experiência patriótica sublime. Mas todos os presidente autômatos são controlados por uma central de computadores de um outro lugar, e por um pequeno quadro de cientistas e técnicos de um outro tempo.

Acontece assim com esse outro ator e autômato, o presidente Reagan. Ele não é o líder efetivo, mas, sim, a representação coletiva desta nova comunidade inconsciente. Não é um pensador político. De fato, todos os seus pensamentos políticos são artefatos, decorações e ilusões nostálgicos. Da mesma forma que as fontes de plástico e as plantas artificiais de um calçadão de lojas em um bairro de classe média alta, as opiniões de Reagan sobre "responsabilidade fiscal", "valores cristãos" e uma "sólida defesa nacional", decoram a nossa comunidade inconsciente, na qual a economia paralela da droga, do crime e das despesas militares supera a economia civil do PNB consciente. Essa economia gerada pela violência é agora muito maior do que a antiga e tradicional economia, que foi baseada nas ideias da Reforma, conforme a obra *A ética protestante e o "espírito" do capitalismo*, de Max Weber. Exatamente porque não é um pensador, Reagan é capaz de conviver com essas contradições, sem se dar conta delas. A "dissonância cognitiva" não chega a afligir esse tipo de mentalidade. Uma mentalidade que está mais próxima de uma representação coletiva de Émile

Durkheim,* do que de uma filosofia. Como uma expressão do inconsciente coletivo de uma sociedade eletrônica e informatizada, Reagan tornou-se *a* expressão histórica da nossa comunidade inconsciente. Portanto, o projeto "Guerra nas Estrelas" de Reagan não é nenhum capricho ou segunda intenção casual, mas uma profunda expressão social e econômica da visão do mundo do Sul da Califórnia – daquela estranha mescla cultural das fantasias de Hollywood e da Grande Ciência. Não é nem um pensamento e nem uma teoria, mas a intuição de um ator e uma noção de *timing* a respeito daquilo que está implícito na plateia e na localização histórica da plateia. Às vezes, a intuição pode captar os contornos da localização histórica mais rapidamente que o intelecto pois este pode ficar perdido pelo excesso de informações. É evidente que o presidente Carter, o engenheiro nuclear, tem um Q.I. mais alto que o do presidente Reagan, mas foi exatamente a meticulosidade de Carter que o prejudicou. Carter aprovou o sistema de mísseis MX, um mastodonte dispendioso que ganhou das pirâmides como um projeto de obras públicas. Mas o MX teria apenas estimulado os negócios dos fornecedores de cimento. O projeto "Guerra nas Estrelas" de Reagan, ao contrário, exigiu a criação de novos sistemas inteiros de inteligência artificial, computadores de quinta geração e a integração de universidade e organizações que correspondiam a uma transformação completa da sociedade civil. Ironicamente, o pesadelo republicano de Eisenhower, também ex-presidente dos Estados Unidos, de um "complexo de indústria militar" tornou-se o sonho do republicano Reagan.

Mas isso ainda não é tudo, pois há muito mais do que implicações econômicas em relação ao programa "Guerra nas Estrelas". Na verdade, Reagan desafiou o conceito de John Forster Dulles de represália em massa. Na obscuridade do inconsciente de Reagan houve um vago reconhecimento de que as armas termonucleares eram de fato militarmente inúteis para as superpotências, pois um declínio nuclear impede o seu uso contra países de proporções continentais, e sua escala de destruição não iria permitir às superpotências projetar seu alcance militar, controlar uma esfera de influência, ou

---

* Considerado um dos pais da Sociologia, foi fundador da escola francesa, que combinava a pesquisa empírica com a teoria sociológica. [N.E.]

estabilizar uma região de recursos essenciais. Considerando que as superpotências podem sustentar despesas militares de grande porte, as armas termonucleares não são investimentos atraentes, precisamente porque são dispendiosas e inúteis, e consomem as verbas que poderiam ser melhor aplicadas nos sistemas de inteligência artificial: em "armas pensantes" para operações de alta precisão contra o terrorismo global. Na hegemonia bilateral manifestada quando Reagan telefonou para Gorbachev pedindo permissão para atacar Kadafi, há um reconhecimento histórico de que, embora as armas atômicas não sejam mais atraentes para as superpotências, elas são bastante interessantes para pequenos países, como Líbia, Israel, África do Sul, Paquistão, Iraque e Irã. Não é de estranhar que os generais de Gorbachev tenham encorajado o líder russo a dar o sinal verde para Reagan, porque eles queriam ver se o equipamento eletrônico dos norte-americanos permitiria o necessário voo no escuro e o ataque ao palácio de Kadafi, sem atingir as embaixadas estrangeiras situadas nos arredores. Os resultados não foram animadores para os russos e a perspectiva de que toda a indústria norte-americana e japonesa teria de se engajar na criação de novos sistemas de inteligência artificial para o projeto "Guerra nas Estrelas", realmente deu a Gorbachev algo para discutir na Islândia.

A recusa intransigente de Reagan de desistir de seu empenho pelo programa "Guerra nas Estrelas" foi compreensível, pois é evidente que tanto os EUA quanto a Rússia gostariam de contar com algum meio de remover a ameaça de países marginais, que agem de forma não europeia e irracional. E, obviamente, o espaço é o melhor lugar de onde se pode monitorar e controlar quaisquer voos ou lançamentos hostis. Mas a intransigência de Reagan colocou-os na posição contraditória de precisar manter os russos como inimigos, para poder subsidiar a economia científica norte-americana, e, ao mesmo tempo, partilhar as informações, de modo que os russos não caíssem fora da competição ou se tornassem também sequestradores ou marginais. Considerando que, tanto *Three Mile Island* quanto *Chernobyl** demonstraram que as altas tecno-

---

* Duas grandes usinas nucleares: uma norte-americana e a outra russa. [N.T.]

logias das superpotências não eram confiáveis, quanto a funcionar sem erros, fica claro que nem os EUA e nem a Rússia se sentiam isentos da detonação de um ataque por engano, de parte a parte. Portanto, deve-se evitar a todo custo qualquer coisa que faça o outro lado se sentir ameaçado a ponto de se colocar em estado de Alerta Vermelho. Ficou-se com a impressão de que o jogo de polícia e bandido, que os EUA escolheram para brincar com os russos, era o de ameaçá-los com "Guerra nas Estrelas" e, secretamente, permitir que as informações fossem roubadas, para assegurar que os russos não desanimassem a ponto de sair totalmente da competição. Em razão disso, pode-se ver que a "defesa nacional" foi, na verdade, um impedimento como forma de relação inconsciente, pois o resultado da corrida armamentista foi uma militarização transnacional que poderia ser chamada de EUARSS.

Infelizmente, a entidade política, que se coloca como forma transitória entre o estado-nação industrial e a Gaia *Politique* planetária, é o Estado do Terror. O que vigora em nossos agrupamentos políticos é o medo. Os políticos no governo aterrorizam-nos com uma *Mútua* e *Assegurada Destruição** termonuclear. Nossos aspirantes a revolucionários nos aterrorizam com suas visões de uma guerra termonuclear, com que eles esperam congregar as massas em seu apoio; e, fora desses padrões, situam-se aqueles destituídos de qualquer poder ou pátria que nos aterrorizam através do terrorismo puro e simples. Sob vários aspectos o terrorismo é um modelo amador de governo; os verdadeiros profissionais na atividade terrorista são, naturalmente, os estados-nações "legalmente" constituídos. Se voltarmos os olhos para a história, para ler as descrições de execuções públicas: o pelourinho, ou, por exemplo, as descrições de William Carleton** a respeito dos homens enforcados às margens das estradas da Irlanda do século XIX[3], poderemos ver que o cenário do terror tem sido o instrumento de governo por toda a história da "civilização" – desde os assírios até os astecas e os ingleses. A única mudança é que numa comunidade global informatizada e eletrônica – uma comunidade intelectual – não existe o que chamamos de "espaço" separando o inocente do culpado.

---

* Formando a sigla MAD = demente. [N.T.]
** William Carleton foi um escritor e romancista irlandês, conhecido por seus traços e histórias do campesinato irlandês. [N.E.]

Assim sendo, cidadãos inocentes, parados nos aeroportos, são escolhidos para atrair a atenção pública e mostrar que os invisíveis e sem-pátria, sejam eles irlandeses, bascos, palestinos, corsos ou armênios, podem tornar-se realmente visíveis e capazes de juntar, no destino comum da morte, aqueles que pensavam estar separados, inocentes e a salvo. Ironicamente, aqueles sem-pátria que anseiam por um território para seu estado-nação concreto e tradicional, tornam-se produtores de mídia, que manipulam, por meio do terror, comunidades eletrônicas e intelectuais.

Para realizar a transição do Estado do Terror global para um mais esclarecido estado da Gaia *Politique,* precisamos ter uma compreensão mais profunda das relações inconscientes entre o bem e o mal, pois, com muita frequência, os terroristas utilizam vagas noções de guerra santa para beatificar sua violência em nome de Deus ou do bem. Façamos a seguinte pergunta: "O que é um terrorista e como ele difere de um revolucionário militar, seja ele Moisés, George Washington, Michael Collins ou Menachem Begin?" Veremos que não somos capazes de responder simplesmente em termos da existência de uma causa motivadora ou inspiradora. Para os egípcios da antiguidade, Moisés não devia ser mais do que um terrorista. Se alguém ordena um ataque aéreo a uma cidade e mulheres grávidas são mortas, isso é visto consensualmente como um ato de guerra; mas, se um terrorista decide bombardear uma ala de uma maternidade, porque sabe que esse evento dramático vai ser notícia no horário nobre da TV, o ato terrorista vai parecer mais premeditado, desumano e monstruoso, mesmo que, naquele ataque aéreo convencional sobre uma cidade, mais pessoas tenham sido mortas. Neste mundo obscuro e irracional da violência, ficamos perdidos em um caos de imagens e emoções súbitas. Um mundo de imagens e de preconceitos, no qual uma cena nítida de televisão, mostrando o assassinato de uma única pessoa, pode parecer mais assustadora de que as imagens cinematográficas de antes, mostrando uma cidade distante em chamas.

Se nos fizermos a pergunta: "O que é o terror?", teremos mais dificuldade ainda para compreender esse estado irracional de associação humana. O terror não é um objeto, nem um lugar, nem mesmo um ato, como morrer. O terror é uma condição mental, uma condição de completa fusão entre percepção, conhecimento e sentimento. Tanto os ditadores quanto os revolucionários procuram criar um estado de terror, porque eles sabem que, em tempos de caos e insegurança, eles podem, paradoxalmente, confortar e amedrontar por meio do Terror, e assim alcançar a clareza da fusão social, através da eliminação da ambiguidade e da confusão.

Como um estado de consciência, o Terror é um presságio obscuro e diabólico da evolução rumo às comunidades intelectuais como o tipo seguinte de organização societária. Na transformação cultural é muito frequente que o "mal" seja a emergência da próxima adaptação.[4] O Terror Viking da Idade Média foi a primeira projeção materializada na ecologia cultural do Atlântico; seria seguida, então, por levas de exploradores, aventureiros, sequestradores e piratas, antes que a civilização industrial se consolidasse, em formas mais benignas das democracias parlamentares de classe média do pós-iluminismo.

Buckminster Fuller, visionário estadunidense, observou certa vez que as pessoas que, pela primeira vez, começaram a pensar em navegar numa escala planetária foram os piratas. Os piratas representaram a transição da economia regionalizada para o comércio mundial. O historiador socialista do moderno sistema mundial, Immanuel Wallerstein, foi mais longe ainda ao argumentar que o capitalismo acumulativo, o sequestro e a pirataria não são tão separados e distintos, como fomos levados a crer pelos historiadores convencionais das nações inglesa e norte-americana.[5]

Esta relação entre o que é bom e o que é nocivo, em uma estrutura mundial, parece tanto biológico quanto sociológico. Se se tratar de uma célula anaeróbia, o oxigênio é nocivo; se for um hominídeo, os instrumentos humanos são nocivos; no caso de um caçador ou nômade, a agricultura é nociva; no caso de um fazendeiro, as cidades industriais são nocivas e, então, se for o caso de um ser humano civilizado e culto, um ecossistema intelectual (ou a Noosfera de Chardin) é nociva: é fruto da imaginação da ficção científica, como algum tipo de ruído demoníaco, vampiro psíquico ou "parasita da mente" – uma ilustração da revista *Omni,* de corpo humano embutido em metal e silicone.

Caim, o agricultor, odiava Abel, o nômade pastor de ovelhas. Amos, o pastor de ovelhas, odiava a agricultura e a vida rotineira das cidades. Agora, os outros filhos de Abraão, os islâmicos fundamentalistas, odeiam os israelenses e os norte-americanos, os detentores da ciência e da alta tecnologia. Estamos disputando um jogo dualístico de pingue-pongue entre o bem e o mal, desde o aparecimento da escrita e da civilização. Mas, agora que a escrita está sendo substituída pela eletrônica, e a civilização pela planetização, parece também que a seleção natural está prestes a ser substituída pela engenharia genética. Então, sobrará muito pouco da "natureza", e igualmente a natureza do bem e do mal deverá ser mudada. De fato, todos os nossos histéricos fundamentalistas, sejam eles marxistas, muçulmanos ou da maioria silenciosa, surgem como uma evidência *prima facie* de que a estrutura dualística de consciência está em um estágio semelhante àquele final, se não terminal, de uma estrela supernova.

Agora, observe os isomorfismos: ruído, poluição, crime, terrorismo, pirataria e guerra. Todas essas expressões do mal, que têm a sua existência no lado sombrio do espírito humano, na faixa obscura da comunidade planetária inconsciente, são semelhantes enquanto formativas de estruturas através das fronteiras dos antigos domínios e enquanto os domínios existentes e tradicionais combatem o novo por meio da proibição, em um tom de ênfase. É bom observar também que, na aceleração da história, o intervalo no movimento pendular entre o bem e o mal se reduz, à medida que subimos mais próximos do ponto de fixação. A fundação do mosteiro de Lindisfarne foi no ano 635 d.C.; o primeiro mosteiro a ser destruído no início da era do Terror Viking foi o de Lindisfarne, no ano 793 d.C. A Renascença, em Florença, data de 1450; a Inquisição e a condenação de Giordano Bruno à fogueira datam dc 1600. De Wagner do final do século XIX a Hitler de meados do século XX, ou de Disney nos anos cinquenta a Reagan nos anos oitenta, o intervalo entre luz e sombra se reduz à medida que nos movemos para cima e para dentro, em direção ao ponto em que o pêndulo está suspenso. Naquele ponto central, que também é o centro de nossa própria consciência, podemos alongar nossa sombra para dentro e não mais projetá-la para fora, sobre algum inimigo odioso, um inimigo que nos permite, convenientemente, ignorar nossa capacidade interior para o mal. Dentro deste centro, as figuras mitológicas do anjo do mal e do Criador beneficente estão em paz e, presumivelmente, esotericamente, em paz um com o outro.

Se o mal não é uma condição, uma atitude ou um ser em separado, mas uma sombra ligada ao processo de surgimento de formas distintas diante da luz (exatamente como a "morte" é a sombra no processo de surgimento de indivíduos distintos, na evolução da célula eucarionte), então, não se pode "combater o mal" num conflito simplista contra condições, atitudes ou seres. Deve-se transformar a estrutura da consciência e não simplesmente movimentar seu conteúdo em várias direções opostas. Quando a estrutura da consciência é observada *(Vipassana)* e não meramente o seu conteúdo, então começamos a perceber a origem codependente *(Pratityasamutpadha)* do bem e do mal e podemos começar a sentir como todos os seres sensíveis compartilham das mesmas coisas no tempo. Isso é compaixão. Essa deveria ser a política nos moldes de *Gaia* para uma vida esclarecida na Terra.

Tomando todos esses aspectos separados, talvez possamos ligar os vários pontos para visualizar o padrão que associa os elementos díspares da arte, da ciência e da religião de nossa cultura contemporânea. Ruído, poluição, crime, terrorismo e guerra; tudo constitui formas incultas e inconscientes de atividade, nas quais dizemos uma coisa e fazemos outra, nas quais nós *somos* uma coisa mas *agimos* como outra. Em cada caso procuramos lançar um alienígena em um espaço exterior imaginário, o que permitirá que nossas atividades conscientes continuem dispensadas da responsabilidade de todo o modelo de relação biológica. Mas se o ruído obtiver resposta, se a poluição for transformada em recurso e se os inimigos forem vistos como íntimas projeções de nossa própria vida interior, então nossos sistemas políticos começarão a mudar. Eles se afastarão das modernas descrições mecanicistas que moldam nossas concepções econômicas e se afastarão das noções religiosas medievais que moldam nossas guerras santas de judeus contra muçulmanos, sikhis contra hindus, protestantes contra católicos. Quando nos deslocarmos para além da sensibilidade religiosa das antigas civilizações medievais, e para além das ciências físicas do modernismo europeu, começaremos a mais bem avaliar a organização da vida revelada na biologia e na ecologia. Tanto o Darwinismo como o darwinismo social são conceituações antigas, nas quais a competição pela sobrevivência ocorre dentro de um espaço limitado. O termo "espaço" não tem mais o mesmo significado dado pelos nossos antepassados Vitorianos. Alguns conceitos mais recentes de biologia, tais como "A simbiose e a evolução da célula" de Lynn Margulis,[6] sugerem que a cooperação tem tanto a ver com a evolução quanto a competição. Mas, a aplicação da biologia às ciências econômicas, mostrada através da biologia cognitiva de Maturana e Varela,[7] talvez seja a mais apropriada para nossa era de ciência cognitiva.

II. Rumo a uma economia autopoética

Uma aplicação das teorias da "autopoesia e cognição" à política e à economia pode parecer um pouco forçada; mas, para começar a avaliar exatamente como as teorias de Maturana e Varela poderiam se relacionar com a economia de uma era eletrônica, precisamos apenas considerar aquelas áreas aparentemente irrelevantes da cultura "pop" que os economistas industriais conservadores ignoram. Por exemplo: vamos começar com os *punks* da King's Road em Chelsea, Londres. Os *punks* são um proletariado industrial que se reciclou em um proletariado informatizado. Sabendo perfeitamente bem que não eram mais necessários para as classes alta e média, nem como escravos, serviçais ou operários, eles não esperaram que monetaristas da era Thatcher lhes dissessem o que fazer de suas vidas. Ao contrário, decidiram, inteiramente por sua conta, criar um estilo de vida que fez girar sua própria economia. Este é um exemplo tão bom de uma economia autopoética quanto "Guerra nas Estrelas" de Reagan (e até melhor, do ponto de vista moral). Esse modo de vida, como uma manifestação de arte, move uma indústria musical, uma indústria da moda; e estas, por sua vez, movem uma indústria de vídeo musical e toda uma série de revistas e jornais a ela associados. Uma nova classe média informatizada começa a se desenvolver na mídia, e essa classe média começa a se servir da energia criativa e das inovações da classe mais baixa. Ora, se tomarmos a somatória de todas essas transações em escala global e então dividirmos esse total pelos "donativos" que os *punks* receberam como "membros desempregados da classe operária" começaremos a ver como esse "donativo" representa um formidável retorno de investimento. Talvez a antiga ideia de um salário anual garantido não seria exatamente "um dreno na economia", como afirmam os economistas da era industrial.

Como forma de comparação e, dentro do espírito britânico de jogo limpo, vamos considerar todo o dinheiro ganho pelas usinas nucleares e pelo Concorde*, e então vamos dividir esse total pelo "donativo" dado à classe administrativa, para "estimular a economia" através do subsídio à energia nuclear e ao desenvolvimento e manutenção do Concorde. Poucas pessoas são afetadas pelo Concorde, mas centenas de milhões de pessoas são afetadas pela indústria musical, até mesmo os que passam fome na África. E, ainda assim, apesar de todo esse empreendimento econômico e cultural, e, ironicamente, apesar de tudo, os *punks* e os roqueiros não se tornam muito visíveis, Thatcher e seus amiguinhos não conseguem vê-los como outra coisa senão ruído. Ao mantê-los fora de sua consciência, Thatcher coloca sua atenção na atividade econômica "real" de socorrer uma insignificante empresa de helicópteros. Evidentemente, a percepção da realidade tem pouco a ver com economia; ao contrário, a economia tem muito a ver com modos de percepção de cunho mítico. Quando começarmos a aceitar o fato de que uma economia não se baseia apenas em ouro e recursos naturais, mas também na cultura, e que uma das razões pelas quais os suíços e os japoneses são prósperos é porque eles são suíços e japoneses, iremos compreender que a música – quase da mesma forma que uma economia – é um ecossistema intelectual global. Na realidade, a música poderá muito bem vir a ser a comunidade do futuro.

Atualmente, 80 trilhões de dólares são movimentados no mundo diariamente. Mas, somente 15% desse total são fisicamente utilizados em transações.[8] O restante está envolvido em um fluxo informatizado, como na arbitragem de câmbio, na qual a diferença impulsiona o sistema. Quando começarmos a aceitar este mais recente tipo de ciência cognitiva "infundada",[9] iremos acelerar a transição de uma economia industrial para uma autopoética.

---

* Concorde, avião comercial supersônico construído pelo consórcio formado entre Inglaterra e França. [N.E.]

Essa ilustração do desenvolvimento econômico obtido através da música pop, em vez de indústrias "reais" como carvão ou estradas de ferro, ou petróleo e aeroespaço, não é tão fantasiosa como pode parecer. O assessor de economia do presidente francês Mitterrand, Dr. Jacques Attali, argumentou em seu trabalho, "O ruído: a economia política da música", que o desenvolvimento da música ocidental antecipa o desenvolvimento social, que mais tarde se torna consolidado nas economias:

AS QUATRO REDES

A primeira rede é aquela do *ritual* do *sacrifício,* já descrito. Ela é a rede distributiva para todo o tipo de ordem, mito e relação religiosa, social ou econômica de sociedades simbólicas. Ela é centralizada no nível de ideologia e descentralizada no nível econômico.

Uma nova rede de música surge com a *representação*. A música se torna um espetáculo assistido em lugares apropriados: salas de concerto, aquele lugar mais íntimo do simulacro do ritual – um confinamento conseguido através da cobrança de ingressos.

Nesta rede, o valor da música é medido em termos do espetáculo. Este novo valor opera uma simulação e uma substituição do valor sacrificial da música visto na rede anterior. Músicos e atores são os produtores de um tipo especial de espetáculo e são pagos em dinheiro pelos espectadores. Veremos que esta rede caracteriza toda a economia do capitalismo competitivo – o modelo primitivo do capitalismo.

A terceira rede, aquela da *repetição*, surge no final do século XIX com o advento da gravação. Em um período de cinquenta anos, esta tecnologia, concebida como uma forma de armazenar a representação, criou através da gravação em disco uma nova rede organizacional para a economia da música. Nesta rede, cada espectador tem uma relação solitária com um objeto inanimado; o consumo da música é individualizado, um simulacro do ritual de sacrifício, um espetáculo sem luz. A rede não é mais uma forma de sociabilidade, uma oportunidade para os espectadores se encontrarem e se comunicarem, mas, sim, um instrumento para tornar possível em larga escala a armazenagem individualizada da música. Neste caso, mais uma vez, a nova rede surge inicialmente na música, como uma precursora de uma nova era da organização do capitalismo: aquela da produção em linha de montagem de todas as relações sociais.

Finalmente, podemos visualizar uma última rede, excluída do intercâmbio, na qual a música poderia ser vivenciada como *composição*. Em outras palavras, uma rede na qual ela seria executada para o próprio deleite do músico, uma autocomunicação, com nenhum outro objetivo do que o seu prazer pessoal, como algo fundamentalmente isolado de toda a comunicação, como uma autotranscendência, um ato solitário, egoísta e não comercial.[10]

Na primeira rede de ritual, poderíamos imaginar camponeses, flautas e a música tocada ao ar livre por ocasião de alguma festa de colheita. Na segunda rede de representação, poderíamos imaginar Mozart tocando na presença do Arcebispo de Salzburgo. Na terceira rede de repetição, veríamos Toscanini no estúdio de gravação, ocupado com as sinfonias de Beethoven. Finalmente, na quarta rede de composição, ou a que prefiro chamar de autopoesia, veríamos dois adolescentes: um em Los Angeles e o outro em Sydney "dançando juntos" ao som de *videoclipes,* compostos por automação através do emprego de seus próprios computadores, decodificadores conectados a antenas parabólicas e aparelhos de videocassete. Esta composição poderia ser de jazz e imagens por improvição, uma forma de arte *poperatic* que afinal poderia ser dissipada ou, se os adolescentes preferissem, preservada em gravações em vídeo. Um intercâmbio eletrônico de ideias, por parte de um grupo desses adolescentes, constituir-se-ia um tipo de danceteria que não teria uma "localização comum" no espaço ou no tempo. Em outras palavras, dois adolescentes, com computadores e aparelhos de videocassete, seriam capazes de criar formas de arte *poperatic,* que para uma geração anterior exigiram um estúdio inteiro de gravação e televisão. Se ampliarmos nossa imaginação para visualizar uma sessão de música improvisada reunindo adolescentes de todo o mundo, poderemos ver o surgimento de uma comunidade intelectual global. Isso é cultura planetária.

Embora fosse um assessor de economia do regime socialista de Mitterrand, o Dr. Attali expôs teorias que funcionam melhor na Califórnia empresarial e eletrônica do que na França literária e burocrática. Talvez essa seja uma razão pela qual o Dr. Attali tenha uma certa dificuldade em visualizar a quarta rede econômica, em outros termos que não aqueles negativos, como o narcisismo antissocial. O dr. Attali não parece estar ciente de que essas quatro redes constituem um ciclo viconiano quádruplo. Se estivesse mais familiarizado com Vico, ele poderia começar a perceber que num *corso-recorso,* a quarta rede tem muitas das características da primeira. Assim sendo, em uma economia autopoética de música global, a danceteria planetária e a sessão planetária de música reúnem propriedades do individual e do coletivo ao mesmo tempo. Este não é o caso do homem encerrado em seu estúdio cercado de livros, mas do habitante da aldeia global de McLuhan em um festival que agora é eletrônico em vez de agrícola.

Uma economia autopoética é, por definição, policêntrica e popular. A cultura francesa, ao contrário, valoriza a centralização em Paris e a conformidade aos padrões de linguagem, pensamento, moda e comportamento, estabelecidos por uma pequena elite e mantidos inalteráveis por uma burocracia rigidamente conformista de educadores, criados e garçons. Essa atitude fica bem para a gramática e a arte culinária, mas não serve para inspirar uma cultura popular – e de fato, vulgar – de inovação irreprimível, de convivência com o risco e dotada de uma jovialidade educacional. A cultura francesa encontra-se tão hermeticamente fechada em si mesma que a atividade mental passa a ser um processo interno de digestão, executado por um grupo de intelectuais anaeróbios. Esse tipo de cultura pode produzir bons queijos e vinhos, mas não produz a banalidade necessária para uma atmosfera exaustiva de inovação e ruído. Não é de admirar que os franceses estejam aborrecidos pelo fato de que o inglês se tornou a língua da sociedade informatizada e a Califórnia sobrepujou a França na moda e na ciência. A tendência à contração da língua inglesa, dos engenheiros norte--americanos, eliminou todo o senso de nuança e estilo, à medida que os memorandos substituem as exposições literárias, os substantivos são imprensados em verbos e as distinções gramaticais mais sutis são eliminadas como se fossem arcaísmos ultrapassados. Contra esta avalanche eletrônica de linguagem tecnológica, a elegância francesa do século XVII (da mesma forma que a gravidade medieval dos alemães desembarcada com todos os seus caixotes de embalagem grosseiros) fica tão desesperadamente deslocada como *Deux Chevaux* em órbita.

Os fracassos econômicos do esquerdista Mitterrand e os sucessos econômicos do direitista Reagan apresentam muitas lições para nós, intelectuais. Embora o Q.I. de Mitterrand seja, sem dúvida, mais alto que o de Reagan, os dois políticos são semelhantes pelo fato de que suas ideologias têm muito pouco a ver com seu comportamento político, Mitterrand – embora declaradamente um socialista – não é diferente de De Gaulle, quando se trata do orgulho e dos delírios da dignidade francesa e do amor pelas armas termonucleares. Reagan, com toda a sua retórica fundamentalista e de Maioria Silenciosa, não é um Aiatolá cristão e fez muito mais que qualquer presidente, desde Kennedy, para consolidar a mudança de uma condição industrial para pós-industrial. O talento incomum de Reagan parece vir da criativa habilidade de entreter os adversários. Isso acontece porque ele tem uma consciência que é pequena demais para poder perturbá-lo. Estas evidentes contradições não são, entretanto, tão novas como se poderia pensar. A Inglaterra industrial liberal foi governada por uma representação coletiva conservadora que era a Rainha Vitória e a Alemanha nazista foi chefiada por um líder nativista que criou uma fusão nada tradicional de tecnologia e Estado.

Se voltarmos até a pré-história, poderemos ver que este modelo de inovação, disfarçado de revolução neolítica, quando a humanidade – graças às mulheres – estava realizando a transição da caça e da colheita ocasional para a agricultura, a iconografia encontrada na Ásia Menor (6.500 a.C.) celebrava a caça. A estrutura econômica da cultura era neolítica e agrícola, mas o conteúdo era paleolítico. De maneira semelhante, quando olhamos para a transição do medievalismo para o modernismo, vemos as mesmas características arcaicas. Na Florença renascentista, Cosme de Médicis, um dos mais importantes mecenas do Renascimento, mostrava-se atraído pelas ideias da academia de Platão e pelos mistérios neoplatônicos. Mas, a estrutura da nova cultura baseava-se nas novas formas de comunicação das finanças e da arte. E, quando examinamos a mudança histórica importante acontecida posteriormente – aquela na transição de uma sociedade agrícola para uma industrial – encontramos o mesmo padrão: a estrutura da Grande Exposição em

Londres, em 1851, era de ferro e vidro forjados industrialmente, mas o conteúdo era medieval e romântico.

Estamos esquecendo de dizer que Reagan não é um historiador cultural e não moldou seu comportamento em um estudo da Ásia Menor, da Florença Renascentista ou da Inglaterra do século XIX. Portanto, é preciso aceitar que, o que quer que seja que produza este modelo, é precisamente a mesma força coletiva inconsciente que lança Ronald Reagan nas telas da história. No significado literal da palavra em latim, Ronald tem um *genius* político ou, no mínimo, é um pensador idiota. Numa *Noite de gala das estrelas* – mais lembrando Las Vegas que New York – Ronald Reagan reacende a Estátua da Liberdade com um laser. Em companhia de seus colegas de Hollywood, Reagan deu à América uma demonstração tão clara de sua representação coletiva que, agora, neste segundo mandato, ficou óbvio que o uso que Reagan faz da mídia para coletivizar a sociedade é ainda mais habilidoso do que o uso que Roosevelt fez do rádio, durante a Depressão. Roosevelt usou o rádio, Hitler usou o alto-falante e o Aiatolá Khomeini usou o gravador, mas nenhum político jamais usou a televisão de forma tão astuta. Agora, até mesmo os adversários de Reagan têm que admitir que ele não é um ator transformado em político amador; ao contrário, é o político do estilo antigo que é a personalidade pública amadora.

Se, como argumentei antes, o programa "Guerra nas Estrelas" é análogo a uma exibição em EPCOT e é, portanto, uma ilusão e uma genuína peça de espetáculo comercial, ele é, todavia, um negócio para valer. O *show business* – o espetáculo – não se baseia em bens reais, mas na criação do desejo. A propaganda devotada à aceitação pública parece ter sido parte da realidade da sociedade pós-industrial nos anos cinquenta. E agora o *show business* devotado à Grande Ciência e à aceitação nacional parece ser parte da realidade da sociedade pós-industrial de Reagan. Numa economia global, apenas com um fluxo de 80 trilhões de dólares, é difícil dizer que tal movimento seja sustentado por alguma coisa – terra ou ouro.

A moeda é boa, não porque seja lastreada por bens, mas porque as pessoas acreditam na viabilidade do país. Os países são agora postos no mercado e julgados da mesma maneira como as empresas o eram antigamente. Se levarmos em conta que multinacionais gigantescas, tais como a Shell e a Nestlé, transferiram bilhões em investimento do Terceiro Mundo para a América e se levarmos em conta que a América é hoje um país devedor e não mais "propriedade" de seus cidadãos, realmente é como se os investidores estivessem dizendo que eles acreditam que os EUA vão fazer a transição da civilização para a planetização e que neste salto quantitativo para um novo nível, talvez ainda maior do que aquele do mundo agrícola para o industrial, eles não querem ser deixados para trás na posição nativista de um Irã antiamericano. O fato de que o capital europeu, asiático e do Oriente Médio está entrando nos Estados Unidos significa que algumas pessoas estão apostando seu dinheiro no fato de que os EUA, com suas Harvards, Berkeleys e Stanfords, seus MITs e Cal Techs, vão conseguir dar tal salto.

A Inglaterra tomou dinheiro emprestado da Holanda para construir as ferrovias e os canais que tornaram possível sua revolução industrial do século XVIII e, então, os Estados Unidos tomaram dinheiro emprestado da Inglaterra para financiar sua revolução industrial do século XIX. Agora, através de bônus do Tesouro e de déficits enormes, os Estados Unidos estão tomando emprestado do mundo para financiar sua transição de uma economia civil para uma economia científica. Uma vez que nenhuma nação parece jamais pagar suas dívidas e, sim, meramente paga o serviço da dívida, fato que permite que o jogo continue, não está de forma alguma claro o que significa para uma "nação" estar endividada numa cultura planetária. Talvez as definições de propriedade e soberania não sejam mais adequadas para esta situação historicamente nova.

Tanto a Disneylândia quanto a Disney World celebram, abertamente, a fantasia e a brincadeira, valores que certamente nenhum vulto da *Maioria Silenciosa,* como Calvino, poderia aprovar. Para Calvino e Lutero, o mundo não era motivo para riso. Para a *Galáxia Gutenberg** como um todo, o mundo estava honestamente representado na *Bíblia*, impresso e em leis escritas. Mas para o *Homo ludens,* a *representação* dá lugar à *participação*. Essa mudança não é, simplesmente, uma troca de ideologias, mas uma reorganização sistemática da cultura humana. Para Locke, as ideias eram representa-

---

* *Galáxia de Gutenberg*, obra de Marshall McLuhan que analisa a emergência da escrita e da tipografia. [N.E.]

ções mentais do mundo exterior e o Parlamento, cérebro do corpo político, continha representantes de toda a sociedade. Subjacente tanto à teoria do conhecimento quanto à teoria do estado, estava uma consciência de indivíduos cultos segundo a qual os "comuns" primitivos poderiam ser transformados em "propriedade", exatamente do mesmo modo como os "comuns" do discurso oral podiam ser transformados em linguagem escrita. Muros, cercas e linhas impressas têm, na verdade, muito em comum.

Podemos, agora, ver todas essas conexões do modernismo porque estamos num processo que torna o modernismo ultrapassado. No pós-modernismo, o cérebro não representa o mundo e o membro do Parlamento não representa todo o corpo político. O cidadão isolado representado por um político é trocado por um indivíduo participativo, que vive como uma organela, simbiótico dotado de poder pela informação, num ambiente que não é estruturado por instituições tais como a Igreja e o Estado. Um bom exemplo desta mudança política é dado pela habilidade do Greenpeace em desafiar o estado-nação da França. Se considerarmos o poder que as formas eletrônicas de comunicação têm de transformar a cultura, é justo dizer que há mais futuro para entidades políticas como Greenpeace, Anistia Internacional ou África Live-Aid, do que para os estados-nação industriais que tentam estender os padrões de dominação imperial do século XIX da Europa para o Pacífico Sul.

No modelo representacionista da filosofia de Locke, a mente carrega um pequeno quadro do mundo dentro de si, o parlamento carrega um pequeno quadro da comunidade exterior dentro de suas câmaras e o papel-moeda carrega um pequeno quadro do ouro e da terra da nação dentro de sua forma retangular. Na ciência cognitiva de autopoesia, entretanto, o cérebro não é mais visto como a Câmara dos Deputados. O similar econômico deste paradigma autopoético é que o dinheiro não é mais visto como aquilo que representa a realidade. O dinheiro não é mais lastreado pela terra ou ouro da nação, mas pela crença na capacidade da nação em produzir inovação científica. A economia autopoética cria seus próprios valores nas transações. Uma vez que as transações culturais, tais como a mudança da atividade de caçar e apanhar frutos, para a de agricultura ou a mudança da agricultura para a indústria são tão imprevisíveis, o comportamento de uma economia autopoética não tem precedente e assume a qualidade de uma profecia autossuficiente. Se as nações devedoras deixarem de pagar e se o mundo inteiro começa a acreditar que os Estados Unidos não podem fazer a transição para uma nova cultura planetária, então, os EUA não farão. Parte da política modelo *Gaia* é, portanto, mostrar que somos todos organelas dentro de uma célula planetária e que é uma perigosa ilusão pensar que qualquer estado-nação pode fazer essa transição por si só, militar ou economicamente.

A interpretação de todos em cada um argumenta que a soberania territorial é um resíduo do modelo representacionista de Locke concernente ao século XVII. O Greenpeace pode intrometer-se na política da França e a Nestlé pode comprar a Carnation nos EUA; Chernobyl pode destruir a produção agrícola do Leste Europeu e os universitários norte-americanos de classe média viciados em cocaína podem sustentar a suntuosa rota através dos Andes. O ato de votar para um representante no Congresso e no Parlamento não nos dá a chave para a porta deste novo mundo; meramente nos deixa trancados do lado de fora, e o cidadão sabe disso. É por isso que os grupos participativos, do Greenpeace ao Live-Aid, são muito mais carismáticos do que as eleições na nossa cultura eletrônica global.

Uma imagem de Davi desafiando o Golias do velho estado-nação industrial não nos deve levar a pensar, erroneamente, que há apenas um lado positivo no modelo participativo de política. Existe, sem dúvida alguma, um lado obscuro na mudança da representação para a participação. A representação expressa a cultura de um consenso civilizado. No tempo de Thomas Jefferson, um homem civilizado precisava somente ler cem ou duzentos livros para ser considerado culto; hoje, cem livros é o número dos que são editados numa única especialidade em um ano. Neste mundo de sobrecarga de informações, o cidadão entorpecido não mais lê ou pensa; ele assiste e sente. O tipo de indivíduo que fica enlevado pela propaganda cívica e religiosa do EPCOT não é tão culto quanto Benjamin Franklin ou Mark Twain. A participação do espectador em fantasias da mídia é um retrocesso à participação analfabeta do camponês em toda a pompa medieval da nobreza e das festas da Igreja. Certamente, não é aquele mesmo tipo de envolvimento que se vê no poder pessoal dos membros da classe média ou dos representantes eleitos. Como um festival de rock ou uma danceteria para a multidão delirante de jovens, o EPCOT foi projetado de tal modo que o ruído se torna solvente que desfaz o indivíduo isolado e o une ao grupo. Com alto-falantes nos canteiros de flores bombardeando o pedestre com músicas majestosas dos momentos dramáticos da história do cinema, o cidadão torna-se um tecnocamponês despido de seu direito ao silêncio e aos seus próprios pensamentos, na medida em que ele é enrolado e rebobinado na constante rolagem da fita gravada do *musak*.

Mas é também neste mundo de ruído, comunicação global e alienação individual, que as almas mais belicosas podem usar seus comunicados eletrônicos para formar grupos racistas como o Aryan Nation (Nação Ariana). É neste mundo de fragmentação que o fundamentalismo e o terrorismo procuram fundir os pedaços em chumbo derretido, pois, infelizmente, o terrorismo é também uma forma extremista de *participação* que substitui a *representação* na política eletrônica.

Sem dúvida, os movimentos nativistas, simplistas e violentamente reacionários, continuarão, até mesmo nos EUA. Mas, provavelmente, esses movimentos fracassarão nos EUA. Como vemos na televisão norte-americana, os evangélicos da TV não diferem dos astros do rock ou das estrelas de Hollywood. Quando o fundamentalista vai de canal para canal, mudando da realidade dos filmes de faroeste para a ficção científica, das novelas para o noticiário, de uma parte do mundo para outra, ele é como o visitante que vai de um brinquedo a outro na Disney World, sendo o participante e causador de uma sensibilidade que é radicalmente diferente daquela de seus antepassados da Reforma. O único modo pelo qual a cultura da Reforma poderia manter a *Galáxia Gutenberg,* seria através da eliminação da televisão – num espírito de pureza como o dos *Amish,* buscando congelar a história em algum ponto do passado. Provavelmente, alguns fundamentalistas tentarão voltar quando começarem a atentar para o fato de que Reagan é um liberal e que os evangélicos da televisão não são ministros das Escrituras, mas ministros da mídia.

Os Estados Unidos estão, é claro, longe demais, graças a Deus, para retroceder e se trancar numa Aryan Nation (Nação Ariana). Os EUA são um país mais viciado em TV do que em cocaína e sua comunidade continental tornou-se ainda mais multirracial do que era no século XIX. Hoje, não se trata mais de um caso de integração de italianos, irlandeses, judeus do Leste Europeu e negros, mas, de mexicanos, cubanos, vietnamitas, coreanos e japoneses. Da mesma forma como New York era a cidade da quinta-essência da expansão norte-americana do século XIX e do início do século XX, Los Angeles é hoje a cidade da quinta-essência mundial de sua cultura eletrônica. Na antiga cultura da imprensa, o professor da escola pública podia arrancar a criança do antigo mundo cultural de seus pais e transformá-la numa criança genuinamente norte-americana; porém, na cultura de múltiplos canais de televisão, a etnicidade é reafirmada e os imigrantes mantém suas línguas – o espanhol ou o coreano e, na verdade, os próprios norte-americanos começam a desenvolver novas linguagens étnicas, como o dialeto *Jive*. O mundo da eletrônica é uma cultura *top pop;* é uma energização dos opostos: a ciência elitista de Stanford, Cal Tech e Silicon Valley e as reproduções de música e mídia de Hollywood.

Essa estrutura de opostos é, economicamente, muito importante, pois uma das razões para que tanto capital mundial esteja entrando nos EUA a fim de financiar a planetização da humanidade, é precisamente porque os EUA são um país tão multirracial e inovador, em muitos aspectos diferentes da cultura humana.

A simbiose cultural do *top pop* é o segredo da força que a América possui atualmente e essa força vai, provavelmente, continuar rumo ao século XXI. O Japão não vai substituir os EUA como potência mundial, pois é uma cultura circunscrita a uma ilha e, como tal, não possui a diversidade e a ousadia imaginativa para assumir o papel de líder mundial. É um país forte precisamente porque, após perder a guerra, decidiu, imediatamente, tornar-se uma organela dentro da célula da economia do mundo norte-americano e, nessa posição, conseguiu florescer e prosperar. Se o Japão tentasse reverter a situação e tornar os EUA uma organela dentro da célula "Japão S/A", haveria uma grande distensão e distorção que, simplesmente, destruiria o Japão. Sua posição atual é forte precisamente porque essa posição é sua força.

Se os EUA, por outro lado, continuarem a progredir em sua mudança da civilização para a planetização terão que se relacionar com a China, bem como com o Japão e a Coreia.

No mundo do Pacífico, a mentalidade racista dos brancos do século XIX e do início do século XX é totalmente equivocada. A economia americana, de Nixon a Reagan, soube disso e já se decidiu pela opção do Pacífico nos centros econômicos e culturais da América. São só os "brancos esfarrapados", ignorados e ignorantes, que se sentem ameaçados pelo dinamismo dos asiáticos nas universidades do Ocidente, que são atraídos por movimentos nativistas como a *Aryan Nation* e o *Posse Comitatus* – da mesma forma como, antes, os brancos pobres, que foram esquecidos pela Revolução Industrial que varreu o Norte após a Guerra Civil, foram atraídos pela Ku Klux Klan. A única hipótese na qual os EUA se tornariam uma Aryan Nation, seria a de um colapso econômico e a expatriação de todos os seus cientistas multirraciais desempregados, artistas dissidentes e intelectuais para qualquer país que os recebesse – Austrália, Canadá ou Brasil. O resultado, então, seria uma implosão no fascismo neonazista, bíblico e simplista, imaginado pela romancista canadense Margareth Atwood. Na visão histórica a longo prazo, Ronald Reagan – como uma vacina que nos dá um pouco da doença que vai nos salvar dela própria – pode ter salvo os EUA do fascismo racista branco ao desempenhar o papel do Presidente americano de direita, a favor da Maioria Silenciosa.

Se os Estados Unidos continuarem na transição da civilização para a planetização, então será necessário que cheguem a uma compreensão mais ecológica da interação de diferenças e opostos dentro de uma nova esfera de ação. Se o ruído traz em si o sinal desconhecido da inovação, se o mal é o surgimento da próxima adaptação, se a corrida armamentista com a Rússia está criando a U.S.S.S.R., se o tráfico de drogas está integrando nas sombras as economias devedoras dos EUA e seus vizinhos latinos e se a poluição está colocando todos nós sob uma nuvem que se move sem respeitar as fronteiras de estados-nação então qual é o papel do bem nesta transformação cultural? Será o mal o único todo-poderoso e o bem sempre fútil e impotente?

O pensamento dos antigos budistas era, naturalmente, que o bem e o mal têm uma origem interdependente e que o bem não é absoluto e transcedente. Aqueles que não podem ver o Mal e o lado obscuro de si mesmos, em suas próprias condições de sofrimento e *samsara,* projetam-nos para fora e impingem sua bondade aos outros, transformando uma virtude isolada e desumana num tipo abstrato de crueldade. Esse é o padrão do moralista extremo, um Rabino Kahane, um Ian Paisley, um Aiatolá Khomeini. A pessoa que sente compaixão pode ter uma ideia de sua própria capacidade interior para o mal e tem, portanto, compaixão pelos outros, até mesmo aqueles que estão momentaneamente tomados pelo mal. Em outras palavras, o bom budista é um bom cristão e ama seu inimigo como Jesus pregava.

É necessário que se tenha outra palavra além de *bem* para se chegar a esta centralização do Ser. Os cristãos chamariam de amor ou *cantas,* os budistas chamariam de compaixão, ou *karuna* mas, neste novo equilíbrio, o mundo é essencialmente o mesmo e transformado em sua quinta-essência. Assim como num movimento nas artes marciais do *Akido* ou do *Tai Chi,* toda a massa inercial do oponente maligno é desviada e, através do menos e mais sutil dos movimentos, o inimigo é derrubado, para encontrar seu próprio centro.

Qual seria o menos e mais sutil dos movimentos que poderia transformar nosso mundo político de uma comunidade intelectual global do Estado de Terror, para a comunidade intelectual planetária da compaixão, da com-paixão ou passar – com os outros – pela "catástrofe" que é a descontínua transição de um sistema mundial para outro?

A arte marcial nos ensinaria a tomar o que nos é dado, e redirigir levemente suas energias; a utilizar e transformar o que temos diante de nós, em vez de esperar pelo Messias ou pelo fim do mundo. Portanto, vamos considerar as formas políticas de atividade que estão diante de nós e imaginar como seriam suas transformações mais sutis.

FORMAS ATUAIS	FUTURAS TRANSFORMAÇÕES
Programa Guerra nas Estrelas.	Um Programa Transnacional para a Exploração do Espaço.
Pershing II e Mísseis Cruise para defender a Alemanha.	Retirada de todos os Pershing II, Mísseis Cruise e armas atômicas da Alemanha Ocidental, e a transformação do *Wehrmacht* numa milícia civil como a da Suíça.

(continua)

(continuação)

FORMAS ATUAIS	FUTURAS TRANSFORMAÇÕES
As Nações Unidas como um governo mundial fracassado e como uma força policial global.	A ONU como uma Harvard mundial, uma Academia Mundial de Artes e Ciências vindo como uma terceira Câmara numa legislatura Tricameral, na qual os estados-nação têm Câmaras alta e baixas, dos Lordes e dos Comuns, Senado e Congresso, mas onde todas as nações têm a ONU como sua terceira Câmara para fornecer pesquisas e recomendações para problemas de longo prazo da civilização humana, tais como o efeito estufa, a chuva ácida, o tráfico de drogas, os direitos humanos etc.
Fundo Monetário Internacional como um "instrumento para tirar dinheiro dos pobres em países ricos e dá-los aos ricos em países pobres".	O estabelecimento de *Land Grant Colleges* (Faculdades com Doação de Terras), Faculdades *Gaia*", como centros de Recursos Biorregionais para dar início a uma economia baseada na informação em áreas empobrecidas como o Chade ou o Haiti.
Subsídios a instituições selecionadas ou grupos favorecidos, como, por exemplo, a indústria nuclear.	Um American Expression Card (Cartão de Expressão Americana), ou capital de risco a cada cidadão em lugar de uma renda anual garantida: uma dotação no valor de 50 mil dólares a cada indivíduo, ao atingir a

(continua)

(continuação)

	maioridade para estabelecer seu próprio negócio, subsidiar uma educação superior, ou deixar o dinheiro render juros até que o cidadão decida por um certo investimento pessoal. Os cidadãos que não se sentissem competentes para investir, poderiam deixar o dinheiro no que seria, basicamente, um fundo mútuo nacional.

Os argumentos em favor das formas atuais alimentam a mídia. Portanto, em vez de perder tempo com elas, eu prefiro dar minhas justificativas para as propostas relacionadas às futuras transformações.

Qualquer criatura que esteja vivendo este momento histórico defronta-se com sociedades que estão completamente estruturadas para a guerra. Os governos, os sistemas de comunicação, as fontes de inovação tecnológica e toda a economia dos Estados Unidos estão reunidos pela corrida armamentista. Qualquer pacifista que chega e diz: "Abaixo as armas!", não tem, literalmente, a mínima chance. Alguns pacifistas adoram projetos que fracassam, porque isso lhes dá um certo sentido de santificação num mundo em pecado; outros pacifistas são, simplesmente, personalidades violentamente agressivas que descarregam suas agressões ao gritar pela paz. Esse é o tipo de pacifista que acha que está ajudando o movimento pela paz quando atira sangue sobre um oficial militar. Tais formas de oposição apenas confirmam os adversários em suas posições mútuas e, assim, energizam o jogo do pacifismo *versus* o militarismo, um jogo tão inútil quanto aquele em que a riqueza, do alto do trono Papal, celebra as virtudes da pobreza.

Ao se confrontar com uma economia de guerra, tem-se que promover uma retração e direcionar a força de trabalho para outras áreas. A dificuldade está no fato de que os cidadãos e os políticos somente votarão a favor de subsídios quando ameaçados e, portanto, é preciso que sempre haja uma ameaça do inimigo ou do ambiente para mobilizar a sociedade. Porém, se as pessoas começam a ver, depois de Chernobyl, que não podemos confiar na capacidade dos russos de equipar, com um sistema à prova de acidentes, a sua usina de intimidação nuclear, então, talvez, os cidadãos comecem a compreender a necessidade de se ter um programa espacial vigoroso como um meio de se manter uma economia "Guerra nas Estrelas" com mais estrelas e menos guerra.

Em seu segundo debate contra Mondale, na disputa pela presidência, Reagan propôs que se compartilhasse com os russos o Programa "Guerra nas Estrelas". Seu rasgo de generosidade – "Por que não dividi-lo com os russos?" – foi um brilhante truque de retórica, pois transformou-o num liberal e Mondale num guerreador frio e conservador, uma posição que Mondale não podia manter de modo convincente, uma vez que ele dificilmente conseguiria superar Reagan em falar duro com os russos. Foram precisamente esses tipos de manobras que tornaram Reagan capaz de roubar dos liberais o futuro como mitologia política e surgir como o novo campeão da futurologia, da inovação científica e da era espacial: o que, considerando-se o nível de leitura e conhecimento científico de Reagan, não é um fato a se desprezar.

A dificuldade era que Reagan estava fazendo teatro. Já tínhamos uma tecnologia de reconhecimento por satélites muitos anos na frente dos russos, mas parece que não estávamos dispostos a dividi-la com eles. Então, se não dividíssemos, enquanto estamos na frente, por que iríamos dividir mais tarde?

Ainda assim, aquela estranha intuição de Reagan estava certa, mesmo que seus companheiros políticos não quisessem segui-lo. Deveríamos ter dividido com os russos; naquele momento, não depois. Qualquer coisa que fizesse os russos se sentirem paranoicos ou inseguros ameaçaria nossa segurança. Se chegássemos perto de construir um sistema *ABM* real, os russos teriam que lançar um aparato semelhante, antes que completássemos nosso projeto. Evidentemente, a verdadeira estratégia de Reagan era forçar os russos a entrar numa corrida armamentista dispendiosa, na esperança de ver desmoronar antes da nossa a sua já combalida economia. Porém, isso também era perigoso, se considerarmos a frágil condição da economia mundial, com a dívida americana de 2 trilhões de dólares. Parecia um joguinho colegial para ver quem é o mais forte na economia: quem desmoronaria antes, nós ou os russos.

Mas vamos supor que nosso líder da mídia estivesse certo: lançaríamos no Programa "Guerra nas Estrelas" e criaríamos uma terceira revolução industrial que devolve a Rússia ao *status* de um país subdesenvolvido do Terceiro Mundo e entrosaríamos todas as economias da Europa Ocidental e do Japão em subempreiteiros "trilaterais" para a nova Era Espacial. Não podemos nos esquecer que foi uma Alemanha, humilhada e vencida após Versalhes, que levou à ascensão de Hitler. A Velha Rússia, não mais dotada da condição, ainda que apenas aparente, de ser igual aos EUA, uma identidade mítica a ela conferida por Nixon e Kissinger na era Breznev, não teria outra saída que não bancar o estraga-prazeres. Considerando que já sabíamos que tipo de caos estes estraga-prazeres, com seu orgulho e identidade feridos, eram capazes de causar – fossem eles palestinos, libaneses ou iranianos, seria melhor não humilhar a Rússia. Seria mais seguro para todos se tivéssemos compartilhado o sistema de reconhecimento por satélites de tal forma que cada um soubesse o que os outros estavam fazendo.

O gesto humano de se apertar as mãos foi inventado para mostrar que a mão não escondia uma arma. É um costume elogiável, que se tornou mais relevante quando os cosmonautas e os astronautas encontraram-se no espaço celeste e apertaram as mãos. Temos que voltar àquele ponto e recomeçar de lá.

Em vez de permitir, de forma sub-reptícia, que os russos roubem nossos segredos tecnológicos, deveríamos simplesmente deixá-los entrar na concorrência de contratos internacionais, disputando-os com a Alemanha e o Japão. Quando a tecnologia deles não for boa o suficiente, a própria competição encorajará os russos a descobrir, nas novas Escolas de Administração de Gorbachev, por que seu sistema de produção funciona bem para algumas coisas, mas não para outras.

A tecnologia de reconhecimento por satélite, se compartilhada imediatamente, ajudará todas as nações a ter um sistema de defesa mais efetivo, reduzindo seus orçamentos e tornando os recursos aproveitáveis para outros esquemas de desenvolvimento – em vez de obrigar todos os países pobres do mundo a comprar os jatos de guerra norte-americanos e franceses para a defesa de suas fronteiras. Atualmente, alguns desses satélites já podem ser comercializados por companhias privadas. Isso também quer dizer que grupos ecológicos como o Greenpeace poderiam ter seus próprios sistemas para vigiar quem está jogando lixo atômico no mar. Esta vigilância civil também tornaria mais difícil para um país lançar um ataque furtivo a outro – como nos casos do Iraque e do Irã. Isso forçaria os países a procurar acordos dentro de uma legislação e de tribunais de âmbito mundial.

Se as formas dispendiosas de defesa mútua forem substituídas por outras mais simples, de segurança mútua, então toda a estrutura da II Guerra Mundial, hoje utilizada pelo sistema, poderá mudar afinal. Na verdade, o melhor modo de se evitar a III Guerra Mundial é parar de lutar contra a II Guerra Mundial, fato que me faz voltar ao ponto de minha segunda transformação futura.

Faz parte do Estado de Terror global um tipo de convicção, segundo a qual a ideia de "Mutual Assured Destruction" (Destruição Mútua Assegurada), formando a sigla MAD (demente), constitui-se uma política saudável para a defesa nacional. Uma vez que ninguém está realmente defendido em tal situação, o resultado evidente é que as populações dos países são mantidas como reféns por elites da tecnologia militar: os verdadeiros terroristas profissionais do mundo. Se o fato de se compartilhar o reconhecimento por satélite fizesse com que os russos se sentissem menos ameaçados atrás de suas "fronteiras sagradas", então a Europa continuaria a contribuir para a segurança russa. Consequentemente, para a segurança mútua, em razão de não mais ter a capacidade ofensiva de destruir a União Soviética em questão de minutos, com os Pershing II estacionados na Europa Ocidental. Se os *Wehnnacht* alemães fossem transformados numa milícia civil no modelo suíço, seria possível *defender* a Alemanha Ocidental sem uma força militar que fosse *ofensivamente* capaz de destruir a Rússia. Se as tropas norte-americanas deixassem a Alemanha, como uma clara demonstração do fim da II Guerra Mundial, então os países do Pacto de Varsóvia começariam a manter relações comerciais cada vez maiores na economia mundial e os anseios por liberalização, já demonstrados na Hungria, começariam a se tornar uma característica de todo o Leste Europeu. O que ajudou a Rússia a manter um rígido controle sobre o Leste Europeu foi a ameaça nuclear do Ocidente. Se isso desaparecesse, então o Leste Europeu começaria a evoluir culturalmente segundo outros moldes que não aqueles da Guerra Fria dos anos cinquenta.

Se a Alemanha Ocidental financiasse suas próprias milícias civis, o déficit dos EUA seria reduzido, já que a OTAN consome hoje metade do orçamento militar. Todavia, esse investimento maciço não é, na verdade, militarmente efetivo, pois os 300 mil soldados americanos na Europa jamais conseguiriam repelir uma invasão soviética e é bastante improvável que os EUA se arrisquem a sofrer um ataque nuclear ou um inverno nuclear – que poderiam resultar de sua atitude de defender a Europa Ocidental com armas nucleares. Uma vez que a maior parte do comércio americano está atualmente nos países da Orla do Pacífico, a atenção dos EUA está muito mais centrada na Ásia e na América Latina do que na Europa. Obviamente, a Europa terá que se cuidar sozinha. Assim, nesta nova condição, a Suíça, e não simplesmente a Finlândia, é um modelo para a Noruega e Alemanha Ocidental.

Se a Europa Ocidental começasse a participar ativamente num Programa Espacial Transnacional, estas novas formas planetárias de conhecimento dariam um novo papel histórico às Nações Unidas. Atualmente, a Organização das Nações Unidas é uma criação do pós-guerra, tão obsoleta quanto a OTAN. Nunca conseguiu evitar uma guerra e fracassou em sua tentativa de ser uma miragem de homens brandindo suas espadas sobre os arados. Entretanto, se pudesse ser uma organização cultural de alcance verdadeiramente mundial e não apenas uma organização política *manqué* seria algo mais do que um estilo de vida nova-iorquino para burocratas internacionais.

Na evolução cultural da civilização, da imprensa à eletrônica, as sociedades necessitam de um redirecionamento das legislaturas bicamerais, dos tempos de Locke e Jefferson, para legislaturas tricamerais. A tônica de uma legislatura bicameral é a do equilíbrio entre urgência e reflexão. A Câmara dos Deputados deve ir de encontro às necessidades do momento, o Senado (ou a Câmara dos Lordes) deve expressar idade, sabedoria e o ponto de vista mais ponderado da sociedade. Numa civilização científica e planetária, porém, o ponto de vista mais ponderado requer mais do que apenas os conhecimentos de história e dos clássicos que um cavalheiro possui. Ao nos confrontarmos com problemas como o efeito estufa, a chuva ácida, o enveneamento dos oceanos, o tráfico mundial de drogas, o terrorismo, presente nas viagens internacionais, e os direitos humanos em geral, vemos que o conhecimento é tão necessário quanto a sabedoria. Nenhum país vai, deliberadamente, submeter sua soberania a um governo mundial, e aqui vale dizer que um governo mundial seria – ao mesmo tempo – burocrático, ineficiente e tirânico. Mas todos os países se rendem à informação que lhes chega dos meios mundiais de comunicação, ciência mundial e formas populares de arte, tais como música e cinema. Se a Organização das Nações Unidas se tornasse uma Harvard-MIT com departamentos de estudo de recursos biorregionais espalhados pelo mundo, mas comunicando-se através de redes eletrônicas, ela se transformaria numa Academia de Artes e Ciências planetárias, que faria relatórios e recomendações às legislaturas bicamerais dos estados-nação. Alguns países, como a Suíça, poderiam implantar rapidamente certos limites de velocidade e controles de poluição atmosférica para impedir a destruição de florestas. Outros países, como a Itália e a Alemanha, provavelmente, responderiam mais lentamente à necessidade de controlar seus motoristas. Porém, a ação bem-sucedida de regiões menores e mais eficientes no controle local seria altamente instrutiva para as demais.

No papel de terceira Câmara desse modo de governo autônomo de cada país, a ONU se tornaria valiosa precisamente porque não seria uma forma direta de governo. Ninguém questiona as valiosas contribuições econômicas que um MIT. deu a Massachusetts, ou uma Stanford deu à Califórnia, de modo que seria possível visualizar uma cultura mundial baseada na informação, na qual este organismo planetário seria vital às economias e governos locais. Se países extremamente pobres, como o Chade e o Haiti, tivessem centros biorregionais de recursos fazendo estudos sobre formação de desertos, devastação do solo e pesquisa médica, estas pequenas faculdades poderiam tornar-se as equivalentes das Arnhersts e Pomonas dos EUA: tradicionais escolas superiores de arte, liberais e pequenas, saindo-se muito bem numa era dominada por gigantes como MIT e Stanford.

Estas pequenas faculdades planetárias, no modelo *Gaia*, poderiam se tornar o equivalente do século XXI das faculdades agrícolas (em terras do governo) que os Estados Unidos fundaram no século XIX para desenvolver o país. Uma dessas faculdades agrícolas tornou-se a Universidade de Cornell, que é hoje uma universidade que produz e que não apenas consome. Se os Estados Unidos e a União Soviética concordassem em desativar seus mísseis balísticos (ICBMs), um único submarino Trident seria mais do que suficiente para pagar várias Faculdade *Gaia*. É importante ter em mente que, quando eu digo "faculdade" não quero apenas dizer Ph.Ds. da Harvard, trabalhando no Chade ou no Haiti. O que eu vejo é algo muito mais semelhante ao Land Institute, em Salina, no Kansas, ou o Meadowcreek Project, em Fox, no Arkansas – institutos onde as pessoas de origem local são colegas e não simplesmente objetos de pesquisa para elites nacionais.

O antigo esquema de desenvolvimento do pós-guerra foi, simplesmente, a americanização do planeta. Distribuíram-se empréstimos por todo o mundo de modo a criar mercados para os produtos e bancos norte-americanos. Construíram-se barragens, aviões a jato foram vendidos a ditadores e agrovilas foram terraplanadas para que a agricultura americana pudesse se estabelecer. Hoje, mais de quarenta anos depois da visão do progresso mundial que se tinha em 1946, já é hora de dizer que esse esquema de desenvolvimento foi um lamentável fracasso. Os ricos tornaram-se mais ricos, os pobres tornaram-se mais pobres e a classe média foi eliminada no fogo-cruzado que se estabeleceu entre a repressão fascista e a liberação comunista. Esse esquema de desenvolvimento tem sido bom apenas para os fabricantes de jatos de guerra, metralhadoras, grandes barragens e reatores nucleares.

Mas as lições resultantes do fracasso desses esquemas de desenvolvimento do Terceiro Mundo podem também ser vistas em casa pelos assim chamados países desenvolvidos. Os esquemas de desenvolvimento não têm funcionado em outros países e nem dentro dos EUA. O fracasso surgiu do fato de se tentar dar incentivos apenas a grupos ou instituições privilegiados, seja através de ajuda de custo para extração de petróleo, de subsídios à agricultura ou à completa subscrição de indústrias inteiras, como no caso da energia nuclear. Uma mudança dos padrões exigiria o fornecimento de um capital de risco diretamente a *cada* cidadão como uma quota por sua *participação* na comunidade econômica mundial. Se cada cidadão, ao chegar aos 18 anos, recebesse como dotação um capital de risco de 50 mil dólares, haveria mais estímulo para a economia do que o subsídio à energia nuclear ou à exploração de petróleo. Se dois adolescentes na Califórnia, instalados em uma garagem, conseguem fundar a Apple Computer Company, e se os adolescentes em geral conseguem criar grandes mercados e indústrias para música e vídeo, está claro que a mentalidade industrial arcaica que subsidia mastodontes como os reatores nucleares, mas recusa-se a dar dinheiro a seus cidadãos, é, simplesmente, uma forma incompetente de administrar os negócios. Hoje, as novas tecnologias tornam mais possível do que nunca que um grupo de adolescentes se junte e crie obras de arte e empresas *poperatic*. Naturalmente, alguns adolescentes usarão o dinheiro para entrar no tráfico de drogas, mas desde que haja um fundo para capital de risco à sua disposição, a motivação econômica de se atirar a uma economia obscura será reduzida e os garotos dos guetos terão a chance de escolher, coisa que hoje não têm. Para alguns, isso pode resultar na utilização do dinheiro para financiar uma educação universitária; para outros, pode ser o início de seu próprio negócio e, para aqueles que ainda não estão preparados, a melhor atitude será deixar o dinheiro aplicado em alguma coisa semelhante a um fundo mútuo nacional do cidadão. Este "American Expression Card" (Cartão de Expressão Americana) seria o patrimônio do cidadão e um sinal visível de sua participação na economia autopoética, na qual todos investem em cada um e cada um cria novos universos econômicos para todos.

Esta mudança de enfoque – de guerra para paz – no Programa "Guerra nas Estrelas", permitiria uma participação na economia de uma parcela maior da população de imigrantes dos EUA. O Programa "Guerra nas Estrelas" é bom para lugares como o Rockwell Norte-Americano e os Laboratórios Livermore, mas relega o restante da população à condição de balconistas de lanchonetes *fast-food,* servindo hambúrgueres para funcionários aeroespaciais. Uma economia autopoética de capital de risco individual para o cidadão custaria menos que o Programa "Guerra nas Estrelas", estimularia a economia de modo mais efetivo e seria popular o bastante para que os cidadãos não precisassem morrer de medo na hora de aprovar os subsídios necessários.

Se tomarmos as cinco transformações futuras juntas, teremos um padrão, um suave movimento de *akido,* necessário para transformar o militarismo de Reagan num novo liberalismo populista para um renovado Partido Democrático. Se o Partido Democrático continuasse sendo o verdadeiro partido conservador do passado industrial, dos sindicatos e dos blocos étnicos, ele se transformaria num fóssil – da mesma forma que Mondale. Se o Partido Democrático tentasse se tornar idêntico ao partido de Reagan e almejar o mesmo eleitorado, ele apenas provaria que não tem nenhuma profundidade, que é imprudente, oportunista, completamente sem credibilidade e sem capacidade de exercer o poder. Se, por outro lado, um novo partido ecológico norte-americano tentasse fazer algo por si mesmo, tal movimento na esquerda criaria um adversário semelhante na extrema direita e os fusionistas termonucleares de Lyndon Larouche, provavelmente, disputariam voto por voto com os verdes e cada um receberia 15% dos votos do eleitorado. Seria muito melhor se o Partido Democrático pegasse o que há de melhor no partido ecológico e o melhor da Grande Ciência americana, para movimentar a nova maioria étnica para derrotar o eleitorado branco da classe alta que apoia Reagan e Bush. Paradoxalmente, é essa nova América Latina e Asiática que é mais verdadeiramente representativa da cultura da Orla do Pacífico-Califórnia, que foi a primeira a colocar Reagan no poder.

Tenho dúvidas se o Partido Democrático adotaria, em 1988, as políticas de ação *Gaia*; é mais provável que ele tentasse imitar os Republicanos com alguém como Iacocca. Nossa política seria, então, a típica cultura norte-americana da Avis e Hertz, Pepsi e Coca-Cola, Mc Donalds e Burger King. Mas a história está cheia de surpresas como Chernobyl. Então, eu imagino que, em algum momento, esta horrível geração dos anos cinquenta, estas reprises hediondas da era anti-intelectual de McCarthy, tenham se consumido e, da mesma maneira como os anos sessenta provocaram um salto quantitativo na conscientização de toda a raça humana, os anos que se seguirem, igualmente, nos levarão a avançar mais um passo. Não será necessário um líder carismático nacional para efetuar tal mudança cultural, já que no futuro a geração dos anos sessenta terá se espalhado por todo o sistema: como presidentes de empresas, políticos, músicos populares, artistas de vídeo e líderes universitários. Na medida em que olharem ao seu redor e se derem conta de suas posições, eles se lembrarão e, aqueles correligionários que hoje festejam sua ortodoxia neoconservadora, mudarão de lado novamente para sacar suas velhas credenciais dos anos sessenta e começarão a vangloriar-se de quantas manifestações políticas, conquistas amorosas e festivais de rock participaram. Uma vez mais, estará na moda ser idealista e patriótico, não apenas pelos EUA de Bruce Springsteen, mas por todo o planeta. Essa é a fantasia de alguém que veio dos anos sessenta e esta é a minha fantasia de uma nova forma *Gaia* de política para os anos noventa.

III. Oito Teses para uma Política de Ação Gaia

1) Todo intelectual busca uma nova ideologia, esperando tornar-se um outro Marx que possa inspirar um Lenin melhor; porém, a ideologia é para a mente o que o excremento é para o corpo: os resíduos de ideias outrora vivas.

2) A Verdade não pode ser expressa numa ideologia, porque a Verdade é a vida compartilhada que se sobrepõe ao conflito de ideologias antagônicas, exatamente da mesma forma que a atmosfera *Gaia* se sobrepõe ao "conflito" do oceano com o continente. Portanto, não pode ser "compreendida" pelo processo da análise intelectual, da crítica, ou da racionalidade comunicativa; da mesma forma que não pode ser racionalmente administrada por uma elite filosófica ou religiosa dos melhores e dos mais inteligentes, sejam eles seguidores de Maomé, Marx, Habermas ou E. O. Wilson. Uma vez que o "saber" é uma forma de "falsa conscientização", as elites são materializações institucionais desta falsa consciência que desintegram o sentimento compartilhante de nossa vida comum no mundo.

3) Um Mundo não é uma ideologia nem uma instituição científica, nem mesmo um sistema de ideologias. Ao contrário, é uma estrutura de relações inconscientes e processos simbióticoso. Nestes modelos vivos de comunicação existentes numa ecologia, até mesmo aspectos irracionais tais como ruído, po-

luição, crime, guerra e infortúnio podem servir como elementos componentes da integração, na qual o impedimento é uma forma de ênfase, e o ódio é uma forma de atração através da qual nos tornamos aquilo que detestamos. A II Guerra Mundial na Europa e no Pacífico significou caos e destruição *através* de uma organização social exacerbada; na verdade, esta extraordinária organização transnacional significou a transição cultural de uma civilização organizada, em torno da racionalidade de homens cultos, para um ecossistema planetário intelectual no qual a tensão, o terrorismo e as catástrofes foram inconscientemente sustentados para manter os níveis historicamente novos da integração mundial. Através do terrorismo nacional e, também, de expressões subnacionais de um terrorismo amplificado eletronicamente, estes níveis de tensão e de integração catastróficas funcionam ainda hoje. Em razão disso, não devemos ver o mundo como uma organização estruturada através da racionalidade comunicativa,[11] mas como o convívio de sistemas incompatíveis, pelos quais, as forças de rejeição mútua servem para integrar as unidades aparentemente autônomas num metadomínio que é invisível a elas mas, ainda assim, constituído por suas energias reativas. Portanto, as ideologias não estampam todos os processos vivos de um mundo e as comunidades inconscientes surgem independentemente do "propósito consciente". Economias clandestinas (como o tráfico de drogas entre a América Latina e os Estados Unidos), as exportações clandestinas (como a chuva ácida dos Estados Unidos para o Canadá) e as integrações clandestinas (como a guerra entre os Estados Unidos e o Japão nos anos quarenta) servem para energizar o aparecimento de um bioma que não é governado pelo propósito consciente.[12]

4) Os seres humanos, portanto, nunca "sabem" o que estão "fazendo". Desde que, por definição, o Ser é maior do que o saber, os seres humanos incorporam um domínio estruturado por opostos, pensando uma coisa e fazendo outra; dessa forma, a negação torna-se uma forma de ênfase na qual os policiais estimulam os ladrões, os votos de celibato estimulam a sexualidade e a ciência estimula a superstição irracional e o caos. No campo em que atuam os policiais e ladrões, uma proibição ajuda a manter um mercado negro e uma economia clandestina. No campo do celibato religioso, uma proibição

ajuda a criar um mito em torno da repressão e a energizar a lascívia. No campo da ciência, o ódio à ambiguidade, ao primitivismo e à incapacidade de controle cria uma crença supersticiosa na tecnologia, como se esta fosse um ídolo sagrado do controle e do poder. Daí as experiências irracionais, como a energia nuclear e a engenharia genética, tornam-se formas de uma atividade aparentemente controlada, que acabam por gerar o caos e a doença.

5) A "natureza" não é um lugar nem uma condição de existência; é uma abstração humana que estabelecemos através de atividades culturais; usamos, então, esta abstração para justificar estas atividades bastante culturais como sendo "naturais". Esse processo de abstração é uma tautologia vazia. A "natureza", para os budistas, não tem razão de ser e, portanto, não podemos apelar para a "natureza" para condenar atividades como sendo contrárias à natureza. Já que a natureza muda com a cultura, ambas são individualmente vazias e interligadas por uma "origem interdependente", ou *pratityasamutpadha*. A engenharia genética, a inteligência artificial ou a energia nuclear não podem ser condenadas pela acusação de serem "não naturais"; podem apenas ser rejeitadas por não serem, sob o ponto de vista cultural, espiritualmente sábias ou esteticamente desejáveis.

6) O propósito consciente da ciência é o controle da natureza, seu efeito inconsciente é a ruptura e o caos. O surgimento de uma cultura científica estimula a destruição da natureza, da biosfera, de relações entre plantas, animais e seres humanos que costumamos chamar de "natureza". A criação de uma *cultura* científica exige a criação de uma *natureza* científica mas, uma vez que grande parte das atividades da ciência são inconscientes, irreconhecidamente irracionais e supersticiosas, a natureza que a ciência traz à existência é um sistema abstrato e um caos concreto – ou seja, o mundo da guerra e das armas nucleares. Quanto maior o caos, mais a ciência se atém a sistemas abstratos de controle e maior se torna o caos. Não há saída deste nó fechado, através da racionalidade simples, ou de sistemas de governo que provêm desta racionalização da sociedade.

7) A transição de um mundo para outro é uma catástrofe, segundo a teoria da catástrofe de René Thom, matemático

francês. Na realidade, a catástrofe é o ato de tornar consciente uma Comunidade Inconsciente; é o sentimento dentro do Ser a propósito de um domínio que é desconhecido do pensamento. As catástrofes são frequentemente estimuladas pelo fracasso em sentir o surgimento de uma nova área, um novo domínio e, então, aquilo que não pode ser sentido na imaginação é experimentado através da sensação incorporada à catástrofe. Quando o saber racional e o controle político não servem mais para se sentir a vida real de um mundo, então a consciência torna-se incorporada à experiência fora do mundo visível, mas ainda assim dentro do metadomínio invisível. O processo consciente é refletido na imaginação, o processo inconsciente é expresso como *karma* – criação de ações, desligadas do pensamento e alienadas do sentimento. As catástrofes são transições descontínuas cultura-natureza, através das quais o saber abre-se para o Ser. Este momento de travessia em conjunto de uma catástrofe, esta ocasião de participação compartilhante apresenta-se como uma oportunidade para uma mudança que vai do *karma* à iluminação. Dessa forma, a transição de uma estrutura de universo para outra é caracterizada por catástrofes onde as comunidades inconscientes tornam-se visíveis. Em momentos assim, pode-se dar uma rápida reviravolta ou uma inversão na qual o impensável torna-se possível.

8) Nenhuma elite governante nos permitirá cogitar essa transição de uma estrutura de universo para outra, mas a imaginação e a compaixão podem permitir-nos sentir o que não conseguimos compreender. Uma vez que a "natureza" se aproxima do fim em nossa cultura científica, a relação entre o inconsciente e o consciente do fim vai mudar e o estado de alerta da Mente imanente das bactérias[13] e da autopoesia nos mecanismos da Inteligência Artificial[14] nos darão uma nova visão do animismo das antigas visões do mundo. O "Homem" do conjunto histórico cultura-natureza chegará a seu fim num mundo irracional de anjos e demônios, seres elementares e *cyborgs*. Neste cenário invisível – no qual já estamos vivendo – o fim da natureza como *kanna* inconsciente torna a Iluminação e a Compaixão uma nova possibilidade política.

NOTAS

1. BATESON, Gregory. "The Effect of Conscious Purpose on Human Adaptation" in *Steps to an Ecology of Mind*. New York: Ballantine, 1972, p. 440-448.
2. Ver THOMAS, Lewis. "At the Mercy of Our Defenses" in *Earth's Answer:* Explorations of Planetary Culture at the Lindisfarne Conferences. New York: Harper & Row/ Lindisfarne, 1977, pp. 156-169.
3. Ver *The Autobiography of William Carleton*. London: Mac--Gibbon & Kee, 1968, p. 117.
4. Eu esclareci essa questão em maior profundidade no meu livro anterior, *Pacific Shift*. San Francisco: Sierra Club Books, 1986, p. 125-144.
5. WALLERSTEIN, Immanuel. *The Modem World-System II:* Mercantilism and the Consolidation of the European World Economy, 1600-1750. New York: Academic Press, 1980, p. 159.
6. MARGULIS, Lynn. *Symbiosis and Cell Evolution*. San Francisco: Freernnan, 1981.
7. Ver MATURANA, Humberto; VARELA, Francisco. *Autopoesis and Cognition:* The Realization of the Living. Boston University Studies in the Philosophy of Science, Boston: D. Reidel, 1980.
8. SCHWARTZ, Peter. Shell Oil, London, "Address to the E.E.C. Officers for Research and Development," Geneva, June 12, 1986.
9. VARELA, Francisco; THOMPSON, Evan. *Worlds Without Ground:* Cognitive Science and Human Experience, trabalho em elaboração.
10. ATTALI, Jacques. *Noise:* The Political Economy of Music. Mineapolis: University of Minnesota Press, 1985, p. 31-32.
11. Ver HABERMAS, Jurgen. *The Theory of Communicative Action*, v. 1, *Reason and the Rationalization of Society* (Boston, Beacon Press, 1981), p. 397. "Se nós assumirmos que a espécie humana se mantém pelas atividades socialmente coordenadas desempenhadas por seus membros e, também, pelo fato de que tal coordenação deve ser estabelecida através da comunicação – e em certas esferas centrais tal comunicação visa a conseguir o consenso –, logo a reprodução das espécies também necessita satisfazer as condições de nacionalidade que são inerentes à ação comunicadora."
12. Ver BATESON, "The Effect of Consciousness Purpose on Human Adaptation."

13. Ver PANISSET, Maurice; SONEA, Sorin. *A New Bacteriology.* Boston: Jones and Bartlett, 1983, p. 8.
14. Ver VARELA; THOMPSON, E. *Worlds without Ground.*

GRÁFICA PAYM
Tel. (11) 4392-3344
paym@terra.com.br